転換期を読む29

レトリックの哲学

アイヴァー・A・リチャーズ◆著
村山淳彦訳◆訳・解説

未來社

目次

メアリー・フレクスナー記念講座[★1]――人文学篇第三回

以下の連続講演はブリン・モー・カレッジにて、バーナード・フレクスナーが妹を記念して設立した基金の後援により、一九三六年二月から三月にかけておこなわれた

★1　メアリー・フレクスナーは、兄たちサイモン、バーナード、エイブラハムなどの援助を受けて、名門女子大ブリン・モー・カレッジを一八九五年に卒業した。フレクスナー兄弟は貧しいユダヤ系移民の出身ながら医学、化学、教育界でめざましい業績を上げ、米国高等教育改革にも貢献したことで知られる。バーナード・フレクスナーが寄贈したメアリー・フレクスナー記念講座は、ブリン・モー・カレッジに開設された学者招聘制度であり、一九二八年に第一回が実施されてから今日まで断続的に実施されている。招聘された学者はキャンパスに滞在して教員、学生と交流し、そこで連続講演をおこなったうえで、それを著書にして出版する定めになっている。リチャーズは一九三五―六年に、この講座第六回目の講師として招聘された。

凡例

一、本訳書は I. A. Richards: *The Philosophy of Rhetoric*, Oxford University Press 1936 の全訳で、本シリーズのために新たに訳出されたものである。

二、原注は各文末に、訳文は各章末にまとめた。

三、巻末に索引（事項および人名）を設け、人名には原綴を加えた。

レトリックの哲学

装幀――伊勢功治

はしがき

ベーコン曰く[★1]「はしがきや挿話や弁解や、その他個人を引き合いに出す話は、時間のはなはだしい浪費である。それらのことは謙遜から出ているように見えるけれども、虚栄である」。メアリー・フレクスナー記念講座で講演するために招聘いただいたことは大きな名誉であり、これにお応えするほど立派なお話がわたしにできたかどうかあやしいが、ブリン・モーを訪れ、現代アメリカの偉人に列する人物にしてこの講座に冠名を与えた人と縁をもちえて、わたしが恭悦至極に思っているとしても、それは個人的なことにすぎない。

しかし、以下本書本文に述べる言葉が聴衆の耳に届けられたあと、ここで読者の目に呈せられる書物の形をとるにいたったことについては、一言述べても許されるであろう。耳に訴える言辞と目に訴える言辞とが一致することはめったにない。にもかかわらず本書では、書き言葉をなるべく話し言葉に近づけるように工夫してある。この主題をいま扱ったりするなら暫定的な試案で甘んじるべきだという考え方に立つ以上、一回限りのできごとの雰囲気をとどめておくのがもっとも似つかわしいと信じるがゆえである。以下の講義のなかで極論と思われるような箇所は、たまたま話の成り行きに災いされたか、話し言葉特有のひねりによるものと受け止めていただきたい。

一九三六年四月七日　ホノルルにて

I・A・リチャーズ

★1　フランシス・ベーコン（一五六一〜一六二六）。英国の文人、政治家。科学的帰納法を称揚した経験論哲学の祖。引用は渡辺義雄訳『ベーコン随想集（*Essays*）』（岩波文庫、一九八三年）、「二五敏速について」一一四〜一一五頁。ただし、主として引用の都合により、訳文に多少の改変を施してある。以下本訳書では、既訳からの借用に同様の処置がなされている場合もある。

第1講　まえおき

とはいえ、人々の意志のあいだに妨害もしくは支障が少しでもあるときには、あまり内容に深入りしないように注意するがよい。偏見を抱いている心に対しては、つねに話の前置きが必要である。膏薬を染みこませるためには、罨法(あんぽう)が必要であるようなものである。

——フランシス・ベーコン「敏速について★1」

これからおこなう講義は、ある古めかしい学科を甦らせようという試みです。《レトリックつまり修辞学》という学問の現状について述べるのに、いまさら時間を費やす必要はないと思います。今日それは、不幸にも大学一年生向けの英語を受講する者が嘗める無駄骨折りのなかでも、もっとも退屈で益するところのない科目になっているではありませんか！　《レトリック》はあまりにも評価を下げているので、そんなものにかかずらうより、いっそ忘却の彼方に追いやってしまうほうがましなくらいだとわたしたちは思いがちです——ところがこれが、重要な必要をうまく満たしてくれる学科になりうる、と信じるに足る理由を見つけることができるかもしれないのです。

必要などと言いましたが、そういう必要があることはほぼ間違いありません。これからわたしは、《レトリック》とは誤解とそれを解く方策について研究することであると説き勧めるのですが、わたしたちは日々誤解に苦しめられていますから、それを防いだり取り除いたりするのに役立つ勉学の必要を説くのに、贅言を尽くすまでもないでしょう。コミュニケーションにおいてわたしたちが刻々と、どれほど多くの、またどれほど重大な失敗を重ねていることか、それを測る尺度をわたしたちが当面のところ持ち合わせていないことは言うまでもありません。これからおこなう講義のひとつの目的は、そういうことを測ろうとするときに必要とされる尺度について、多少とも考察してみることにあります。「良いコミュニケーションは悪いコミュニケーションと、どのくらい、またいかなる点で異なっているのか。」こんなふうに言ってしまっては、あまりにも大きく、あまりにも複雑な疑問になってしまうので答えにくいでしょう。しかし、いくつかの部分については、すくなくとも解答に向けた努力をしてみることはできます。そしてそういう解明の努力こそ、《レトリック》という学科を甦らせることになりうるのです。

わたしたちはコミュニケーションで犯される失敗を計測することはできませんが、失敗を推定することはできます。推定の専門家さえいます。教師や試験官です。聞いたり読んだりしたことを理解しようとするときに他の人たちが犯す誤りを推定し診断するのが彼らの仕事であり、そういう誤りをみずから犯すような真似は、できれば避けようとするのです。それとは別種の人間で、コミュニケーションにおける当今の失敗を鑑定するのに都合のよい立場にいるのは、本の著者です。自分の著述に関するたくさんの書評に目を通す、とりわけ経済学とか、社会政治理論、批評などといった分野の著作家がそうです。そういう著者は、書評する人たちが自分の意見に賛同すると言ってくれるときでさえ、自分の主張が書評家たちに理解されたと心の底から認める気になることなどめったにありません。そんなことは、文章がつたなかったり晦渋だったりする下手な著作家にしか当てはまらないとおっしゃるかもしれません。でも、下手な著作家のほうが上手な著作家よりもありふれているし、世間に見解をふりまくのにむしろ大きな役割を演じているではありませんか。

以上のことから得られる教訓は、《レトリック》などという込み入った問題について聴衆に語ろうとしている講演者の心に、かなりグサリときます。聞き手にバークリー[★2]が言った次のような言葉で訴えても、たいして役に立たないでしょう。バークリー曰く「理解することに意味があると考える人みなさんに、わたしはここできっぱりとお願いしておきたい……あれこれの語句や表現形式にとらわれず、わたしの言述の全体や趣意からわたしの言わんとする意味をすなおに汲み取って、言葉をできる限り脇に取りのけ、飾りとなる言い回しをはぎ取った見解そのものを考慮していただきたい……」と。

やっかいなことに、「言述の全体や趣意を汲み取る」ことができるのは、言葉を通じてするほかありません。「言葉を脇に取りのけ」るわけにはいきません。また、「飾りとなる言い回しをはぎ取った見解そのもの」を考慮せよという点についてわたしは、まあ、いずれ講義のなかで、見解というものについてのさまざまな見解を考察し、コミュニケーション研究にとってそれらの見解それぞれの功罪を比較することになるでしょう。バークリーは「飾りとなる言い回しをはぎ取った見解」とか、「装いをはぎ取られたむき出しの観念」とか、「言葉というあの衣装やじゃまものいっさいを観念から分離する」とか、そんなことを好んで語りました。しかし、観念や見解というものは、じゃまものに包まれ、装いをまとっていなければ、インドの列車に出没する素っ裸の全身に油を塗った泥棒に劣らず滑ってしまい、捉えにくくなるでしょう。じっさい観念や見解を知るには、物理学者が扱う素粒子や放射線と同様、それが作用しているところを手がかりにするほかないのです。観念や見解は、それがまとう衣装つまり他の記号から切り離されては、そのものを見定めることもできません。バークリー自身もさすがに疑問を感じていました。だから「言葉をできる限り脇に取りのけ」などと言うのです。この「できる限り」というのはたいした量になりようがなく、バークリーがそれに託したいと望んだ目的を達しそうもありません。

そんなことよりもむしろ、言述のなかで言葉がいかに作用しているかということをもっと綿密に考察しなければなりません。しかし、世界を飲み込んでしまいかねないほど広汎にわたるこの探究に乗り出し、そのなかでも比較的取り組みやすい方面に飛び込んでいくとしても、その前に、この問題に対する伝統的な扱い方をちょっと振り返ってみましょう。そうすればけっこう、役に立つことがわかるかもしれません。最初はもちろんアリストテレス[★3]から始まります。そして最後はホエートリー大主教[★4]で終わると言えるかもしれません。ホエートリーとは、コールリッジ[★5]が計画した『メトロポリターナ百科事典[★6]』中の《修辞学（レトリック）》に関する論文を執筆した人物です。ついでながら言わせていただければ、コールリッジ自身がこの百科事典の序文として書いた『方法についてのエッセイ』こそ、《レトリック》の将来のあり方について重要な示唆を与えてくれることにかけて、わたしの知る限り、公認された文献の他のいかなるものにもまさっています。

ホエートリーと言えば、膨大な量の著作を遺したにせよ、今日その名が思い出されるのは、おそらくある警句によることが多いのではないでしょうか。彼は「女というものは、埋み火をかき立てるのに上から突っつくような真似をする非合理な動物だ」なんて言ったのです。ここブリン・モーでこの言葉を引用するのは、みなさんのなかに大主教に対する偏見をかき立ててやりたいからではありません。どんな男でも、腹立ち紛れにこんな不当で無神経な一般論を吐きかねませんからね。しかし、ほかならぬジェッブ[★7]という権威によってこの分野の近代最高の論者とみなされたホエートリーが、まさにこの分野である《修辞学》を取り扱う際のやり方に対しては、みなさんのなかにもっと偏見をかき立ててやりたいと思っているのです。ホエートリーはもうひとつ警句を吐いていますが、こちらのほうはわたしたちが当面している問題の核心に触れています。そしてこれが慰めになるか、あるいは悪意をさらに喚ぶ可能性に満ちているか、それはみなさん方の見方にお任せします。その警句とはこうです。「高潔にも説教師とは、何ごとにも狙いをつけることなく言い当てるものである」！ たしかにこれでは、大主教がまさに何を言おうとしていたのか、頭を捻ることになっても不思議ではないでしょう。

せいぜい推察するしかありませんが、ホエートリーはこの学科の全史をたどって要約しながら、どうしてあのような議論の進め方をなしうるのでしょう！ 「《修辞学》は、時代が進むにつれて遂げてきたその進歩改良を興味をもってたどることのできるような研究分野ではない」と彼が言っているのは、じつにその通りです。そこから論を進めて「《修辞学》には精励修養するだけの価値があるかどうか」検討し、やや気乗り薄な調子で価値があると断じていますが――ただし《レトリック》は言述にまつわるひとつの《技芸》ではなく、言述の《技芸》そのものであると受け止められるという条件付きです――すなわち、言語使用の基本法則を把握することをめざす哲学的学問であって、ときには有効と認められるような単なる便法の寄せ集めではないと受け止めなければならないというのです。この主張――つまり《レトリック》は深遠な領域に相渉るものでなければならないし、《技芸》の諸原則に関する広壮な哲学的見地に立たねばならないという主張は、ホエートリーの《序論》[★8]の最高潮をなしています。だがその後に続く論には、この主張に沿う試みがなんら見られません。わたしの知る限り、他のどの論文でも試みられていないのです。その代わりにホエートリーが論じてくれるのは、さまざまな議論の場において用いるべき最善の言辞に関してきわめて見事に整理・論述された、分別に満ちた《規則》集です。陳述、証拠、実例をどのような順序で持ち出すべきか、論敵をおとしめるにはどの時点でおこなえばもっとも効果的か、自らを聴衆に好ましく思わせるにはいかにするべきか、などといった事柄です。そんな《規則》はどれもこれも、あらかじめわきまえていない者が論文を読んで身につけることなどできるはずもなかった、そう言って間違いないでしょう。せいぜいのところ、この論文は、言述には育成すべき技巧が含まれていると悟らせるきっかけを与えてくれるだけで、この論文がそういう技巧を教えるわけでもなく、教えることができるはずもありません。この労作全体に対して、大主教が自らの大敵であるジェレミー・ベンサム[★9]を嘲るために発した言葉を投げ返してやってもいいでしょう。曰く「反駁しようとする議論それぞれの難点をあっさり暴露してやるつもりで提出されている案は、小鳥を捕らえるにはその尾に塩をのせよ、などという子どもだましのやり方に似ている。すなわち、論議中の問題にまつわる疑問や難解さは、提案された技術体系にもとづいて、どんな《主張》が［問題領域のどこに］位置づけられるのか、あるいは位置づけられないのかを見定めようとするときに遭遇する困難さと同様、たいしたものと見なされていないのである」と。

なぜこんなことになってしまったのでしょう。こういうことはこの学科の歴史を通じていつも起きてきました。ホエートリーを選んだのは、この学問に内在する傾向を彼が代表しているからです。議論の《構成法》というあのスケールの大きな問題から、《文体》という名のもとに言述の細目にわたる話に進んでいくと、やはりこのありさまになってしまいます。言葉が言述のなかでどう働くのかを哲学的に考究する代わりに、ありきたりなハガキ程度の価値しかない粗末な常識論を語り出すのです——明晰でなければいけないが無味乾燥であってはいけないとか、潑剌とした言い方をせよとか、隠喩を使うのは誤解の恐れのない場合にせよとか、慣用法を尊重せよとか、息の長い文は使うな、かといって切れぎれの文もだめだとか、曖昧な言い方は避けよとか、優美よりも躍動感のあるほうが好ましいとか、統一や首尾一貫性を保てとか、なんとかかんとか……。ハガキの裏側に書いてあることまでたどらなくてもいいでしょう。辛抱強い読者がこんな箴言集から引き出しうる教えなど、誰だってよく知っています。それがどれほど役に立つか、実感したことのない人なんているでしょうか!

言葉の作用を論じようとして陥る、あまりにもなじみ深いこの論じ方のどこに問題があるのでしょうか。言葉はいかに作動するかというのは、言語を使う者なら誰でも必然的に強烈な好奇心をかき立てられる問題です。だが結局、こんなつまらない説教のために関心の流れが断ち切られてしまうのです。この誤りをもっともうまく表現しようとすれば、ホエートリーが推奨したあの隠喩を思い起こして、こんな説教をするのは、埋み火をかき立てるのに上から突っつくような真似をするのに等しい、と言えばいいのかもしれません。説教する連中は、言語はそもそもいかに働くのかという問題に真摯に取り組みもせずに、この問題について今日的意味のあることはなんらわかるはずもない、と決めてかかっているのです。そして言葉にそなわる所与の、疑問の余地のない力をもっとも有効に発揮させることにしか、問題は見いだせないと。言葉の作用全体の根源についての考究を世間に問うこともしないで、この作用の効果についての一般論をもてあそんでいるだけです。そんな一般論は、もっと深部へ潜り込んでその根底にいたる別な経路をたどらなければ、なんの役にも立たないし、なんの進歩ももたらしません。言語研究についての彼らの考え方は、要するに、がっかりするほど遠望的ないし巨視的であって、理解を深めてくれる——実用的にせよ理論的にせよ——なんらかの成果をあげそうもありません。成果をあげるには、言述が構成されるときの意味の構造を探り当てようとする、近接的ないし微視的な考究によって補完されなければなりません。単に、意味を大まかにあれこれ配置することによって得られる効果を探ろうとするだけではだめです。この点において《修辞学者》は、ありふれた物質を貴金属に変化させようとした《錬金術師》の努力を彷彿とさせます。あれがむなしい努力だったのは、いわゆる四大元素の内的構造を考慮に入れそこねたためでした。

右に用いた類比は、今日言語について論じようとしたらほとんど避けることのできないたぐいのものです。理解や誤解について説明し、言語の有効性やそのための条件を研究しようとしたら、わたしたちは、語にはもともと意味があるとか、言述は――まるで壁がレンガを組み合わせてできていると言えるのと変わらず――語の意味を組み合わせてできていると説明しうるとか、そういった見方をさしあたっては捨て去らなければなりません。分析の焦点距離を変えてもっと深く、もっと細部に分け入った把握をめざし、意味のなかでも吟味しうるかぎり最小限の単位がそなえている構造や、他の単位とつなげられた場合のその構造の変わり方について、説明してみなければなりません。レンガは他のどんなものと組み合わされても、実用的な目的に照らしてほとんど影響を受けないでしょうが、意味となると大いに影響を受けます――他のいかなるものよりもじつに大きな影響を受けるのです。組み合わされる仲間からそれほど大きな影響を受けるのが、意味というものの特性です。それこそ、わたしたちが意味と名づけることによって言おうとしているものの正体の一部にほかなりません！　意味はそれ自体としては無に等しいものです――拵えものであり、抽象的存在であり、ほんとうのところわたしたちがでっち上げた非現実的なものです――もっとも、でっち上げたとはいえ、そこにはある目的があります。意味がでっち上げられているからこそ、言述の独特な作用を説明する必要からわたしたちは目を背けていられるのです。この独特な作用のおかげで言述のどの部分も、結局のところその役割をはたすことができるのは、ひとえに、それ以外の部分をなし、そのまわりにあって、あらわされたりあらわされなかったりする言述や条件が、あるがままの形で存在しているからです。「結局のところ」です――ここにおける結局のところなるものは、ありがたいくらいはるばると、またとても奥深くまでの道のりをあらわしています。これをたどりそこねたわたしたちは、いくつかの不動の部分に目をつけます。そのおかげで、右に述べた普遍的相対性、いや、もっといい言い方をすれば意味の相互依存性が、わたしたちの目から隠されるのです。絶対的、無条件的な意味をそなえていると見える語がいくつかあり、さらにもっと多くの文があります。そう見えるわけは、その意味を決定している条件が、その変化を無視してもかまわないくらいに恒常的だからです。だから、一立方センチメートルの水の重さは、それを決定している条件が恒常的だから固定され、絶対的なことに思えます。一ポンドの茶の重量を量るときは、地球の質量を無視してもかまいません。したがって、恒常的な条件をともなっている語については、固定した特有の意味を有し、それを学び維持していくべきだという常識的な見方が正しいとされます。しかしそういう語は案外数少ないものです。たいていの語は、コンテクストが変わるごとにその意味を変えます。しかも変わり方はさまざまです。そんなふうに変わることこそ語の任務であり、わたしたちの役に立ってくれる特徴です。変わってくれなければ、たいていの言述は関節硬化症にかかってしまうでしょう。これまで言述がそんな症状を呈したなどという苦情に悩まされた気配はありません。ある方面では、このような意味の変動を扱うわたしたちの技巧はきわめて高度です――とりわけ表向きは隠喩と認められているたぐいの意味の変動がそうです。しかしわたしたちの技巧はうまく働かないものです。むらがあり不安定です。そしてそれがうまく働かないと、他人や自分についての誤解が引き起こされるわけです。

誤解の主たる原因は、のちほどお話ししますけれども、《固有の意味に対する迷信》です。すなわちあの――《修辞学》という名の学校教科書にいまだに残存している教えによって公式に助長されている――周知の信仰であり、つまり、語にはそれ自体の（理想的にはたったひとつの）意味があって、この意味はそれが使われる用途や目的から独立し、むしろその用途や目的を規定している、と見なす信仰です。この迷信は、ある種の語の意味にある種の安定性が見られることに根ざしています。語の意味が安定しているのはそれに意味を与えているコンテクストが恒常的だからだ、ということを忘れたら（忘れるのが普通になっているのですが）、この見方は単なる迷信になります。語の意味の安定性はあたりまえと思い込むべきことではなく、いつも説明を要することなのです。そして説明を試みれば当然わかるでしょうが、安定性にも――恒常的なコンテクストがさまざまあるように――さまざまな種類があります。たとえばknife（ナイフ）という語の意味の安定性は、科学用語としての mass（質量）という語の安定性とは異なりますし、これら両語とも、たとえば、この講座のきわめて著名な前任者が用いている、event（事象）、ingression（侵入）、endurance（耐久性）、recurrence（反復）、object（対象）などという語の安定性とは異なっています。わたしが提起している意味の扱い方は、ホワイトヘッド氏[★10]の物の扱い方と相似をなしていると見られることになるかもしれません。とはいえ、はっきり言えば、バークリーを敬重してきた人たちには、どっちがどっちなのか自信をもって見分けることもできないでしょうが。

わたしが巨視的研究とか微視的研究とかに触れたのは、言語理論にとって、安定性に関する物理学者の見方から、多大とは言えないまでも少しは学ぶべき点があるかもしれないと暗示しようとしたためです。しかし、生物学で扱われるある種の模式からは、はるかにもっと近しい類比を見いだせるかもしれません。解釈理論は明らかに生物学の一分科です――分科としてまだたいして成長しきれてもいないし、あまり健全な成長を遂げてもいませんけれども。これを覚えておけば、従来陥ってきたいくつかの誤りを避ける助けになるかもしれません――その誤りのなかには、あまりまともに受け取ったらがんじがらめになってしまうようなまずい類比を用いることも含まれています。なかには悪名高いものもあります。たとえば、形式と内容の対立とか、それとほぼ同義の、質料と形式の対立とかです。こういうのはじつに不都合な隠喩です。もうひとつ別の隠喩も不都合極まりません。言語は想念がまとう衣服であるとする見方です。もっとましなのは、意味とは生長した植物みたいなものだと考えることです――ものの詰まった缶だとか、型枠に入れてかたどられた一塊の粘土とかではありません。こういう喩えが不適当であることは明白です。しかし、批評史が示しているように、それらはじっさいに用いられてきた喩えです。それらを補正したり乗り越えようとしたりした思慮深い人たちによる不断の努力も、ほとんど無益にとどまっています――クローチェ[★11]が現代におけるもっとも端的な例です。

もっと悪質で破滅的なのは、単純すぎる機械的な類比であり、言語がいかに作動するかを説明したいという願いから《連合説》[★12]の名のもとに引っ張り出されてきたものです。思考がいかに作動するかということにも関連しています。この二つの問題は密接・近似しており、たがいに切り離して論じても効果がないでしょう。しかし、《言語》と《思考》とは、その定義を徹底的に改造し、そうすることによって主要な問題をかわしてしまわないかぎり、まったく同一のものとは見なせません——そんなことをわざわざ言う必要があるでしょうか。いや、心理学上の《行動主義者》[★13]が《思考》とは声なき言語であるとあれほど声高に言い張ってきましたから、こんなことも言わなければならなくなったと思います。しかしながら、これからの講義のなかでは、行動主義に対する攻撃を言外にほのめかす程度にしておきたいと思います。それをあからさまに始めたら、もっと有益に使えるはずと思える時間を浪費してしまうでしょう。ただこれだけは言っておきましょう。思うに、《思考》を筋肉運動と同一視するようないかなる教理も、その教理の原動力たる観察主義[★14]を自ら論駁して否定することになる——英雄的かつ致命的なことです。そしてまた、《思考》を神経系統と同一視することは、わたしから見れば容認できる仮説ですが、あまりにも広がりがありすぎて興味ある適用をもたらしそうもありません。思考と神経系統についてもっと多くのことがわかるまでは、追究しなくてもよいでしょう。機が熟せば、この仮説は有益になるくらいまで発達するかもしれません。いまのところ、もっとも研究しやすいのはまだ《思考》であり、それもだいたいは《言語》を通じて研究できるのです。イヌを考えることとネコを考えることの違いは、わたしたち誰もが頭のなかで区別できます。だが神経学者にはできません。ネコもイヌもそばにいるわけでなく、ネコやイヌについて考える以外にネコにもイヌにも関わっていないときでも、わたしたちには違いがはっきりとわかります。「イヌ」と言いながら「ネコ」を考えることもできます。

以上のことを申し上げてもまだ、連合説については多少話をしなければなりません。なぜならば、語が意味するのはいかなる作用によるのかを問題にすると、答えとして思い浮かべられるのはきっと、一連の連想された観念や付随するイメージに結びつけるなんらかの理論だからです。そしてこういう理論がいかに何も解き明かしてくれないかがわかってはじめて、その無力さを思い知ることになります。こういう理論がおよそどういうものか、誰でも知っています。「ネコ」という語は、「ネコ」という語の音声を耳にすると同時にネコを目にすることによって、わたしたちはその意味を知り、かくて視覚と聴覚の間のつながりが形成される、というわけです。その後「ネコ」という語を耳にすると、ネコのイメージ（視覚的イメージと言っておきましょう）が頭に浮かび、そういうわけで「ネコ」という語がネコを意味するようになるというのです。そこでわかりきった反論があらわれてきます。ネコにもさまざまな違いがあるではないか、眠っている灰色のペルシャ猫と獲物を狙っている虎猫とでは大きく異なるではないか、などという反論です。イメージを頭に浮かべたことなんかないと言いだす人たちも出てきます。

すると、こういう反論に付き合っていかざるをえず、理論がとても複雑になっていきます。たいてい、イメージが背景に追いやられ、何か――ネコの観念というような――正確にはあらわしにくいものをただ補助的に示すだけのものに引き下げられて、そのうえでこの何かが「ネコ」という語と連合されると見なされることになります。もとはイメージが語と連合されると見なされていたのとたいして変わりません。

意味に関するこの古典的な理論は、一世紀以上にわたって多くの陣営から激しい攻撃にさらされてきました――コールリッジ、ブラッドリー[★15]、パヴロフ[★16]、ゲシュタルト心理学者[★17]などといった多種多様な立場からの攻撃です。攻撃に対抗して琢磨が施されてきました。そのために条件反射の救援を呼び込み、フロイト[★18]の影響下に入ったりしました。この理論は補正を施されても意味に関する有用な理論になりえない、とは言いません――じつは次回の講義でわたしは、語が意味するのはいかなる作用によるのかということについて、あきらかに連合説が先祖の一部をなしている素描的理論を略述する予定です。だから今回は、単純な連合説は不十分であり、そのことをわきまえなければ阻害要因になると申し上げることによって、ある語のまわりに連合されたイメージや観念を頭のなかでかき集めても「語が意味するのはいかなる作用によるのか」という問いに答えることにはならない、と思いだしていただければじゅうぶんなのです。単純な連合説は、語をイメージや観念に置き換えるだけです。すると問いは、「観念(あるいはイメージ)がそれを意味することを意味するのはいかなる作用によるのか」ということになります。これに答えるためには、頭の外へ出ていき、頭のなかのできごとでないものと頭のつながりを究明しなければなりません。あるいは、(そんなつながりを究明するよりも、「頭」という語の意味を拡張するほうが好ましいというなら) 従来の連合説では扱われていなかったできごと同士のつながりを究明しなければなりません。そういうつながりを扱わなかったことにより、肝心の問題がなおざりにされたのですから。

ここでの目的にとって重要な問題が二つあります。第一に、あの通常普及している未熟な連合説は、頭に刻まれた印象 (ネコによって刻まれたネコのイメージ) にとらわれ、さらにそういう印象がつながり結びついて集塊をなし、原子からなる分子のごときものになるなどという粗雑で見当違いな物理学的隠喩のために、台無しにされているということがあります。そんな隠喩は、知覚についても思索についても有益な説明にはなりませんし、それに改良を加えないかぎり、わたしたちには、《レトリック》にまつわるいかなる興味深い問題についても、考察を深めたり解決を見いだしたりすることができないでしょう。

第二に、発語の意味を成り立たせるものとしてイメージに頼ろうとするやり方は、一七世紀以来とても有能な人々が、《修辞学》を学問のなかでそれにふさわしい地位へ引き上げようと払ってきた涙ぐましい努力を、じつにおおかた無に帰させてきたということがあります。実例をひとつあげましょう。ケームズ卿[★19]がそうです。スコットランド民事控訴院[★20]判事として俊英の評判なきにしもあらずの人物だったのですが、ほんとうはとんでもない愚物だったとわたしは信じています。

『ヘンリー五世』[★21]（四幕一場）でウィリアムズ[★22]は「哀れな一兵卒が一国の君主に向かって言える苦情なんて」何の役に立つかということについて、腹立ちまぎれにこう言います。「孔雀の羽根であおいで太陽を凍らせようとするほうがまだましだ」と。ケームズ卿はこれにコメントして、「孔雀の羽根は、美しいのはもちろん、イメージを完璧にしている。ある特定の羽根を思い浮かべることなしに、この奇抜な行為の正確なイメージを描くことはできまい。この点が描写のなかで無視されたら何を言っているのかわからなくなる」（『批評の原理』三七二頁）と述べているのです。

思うにこれが明らかにしているのは、イメージにこだわると読者がいかに見当違いになってしまうかということでしょう。理論は別にして、太陽の顔をあおぐのにどんな羽根を用いるかはっきりしてもらわないかぎり「わからなくなる」ような人は、いったい誰だというのでしょうか。この著者にさらに輪をかけた愚物になりたければ、その尻馬に乗ってこの理論を突き詰め、長い羽根なのか短い羽根なのかとか、太陽は天頂にあるのか没しかけているのかなどと問うてみたらいいでしょう。シェイクスピアが特定の羽根に言及したのは、ケームズ卿の言葉にしたがえば「イメージを完璧にしている」点で重要だ、なんて。そんな理論は、はじめからしまいまでまったく間違っているし、人を惑わせるものです。この文脈のなかで孔雀という語が果たしている役割は一目瞭然、ウィリアムズの目から見た「哀れな一兵卒が一国の君主に向かって言える苦情」の無力さ、むなしさを強調する気持をこめることにあります。孔雀の羽根は自分をおだてて格好をつけるためのものです。ヘンリーは、国王が自らを人質にとらせてしまうようなことになったら、自分はもう王の言葉なんか信じなくなると言ったのでした。そこでウィリアムズはこう言っているのです。「もう王の言葉を信じなくなるって！　それはどういうことだ！　そんなこと言って好きなだけ格好つけるがいいが、それで王をどう動かせるって言うんだ！」

一七六一年[23]にケームズ卿は、生き生きとして、明確で、正確な羽根のイメージの美しさや完全さを自分で勝手に作り出しておいて、それを得々と賞翫し、そうすることによってどうやらこのくだりの趣意全体をつかみそこねたようです。これはちょっと注目に値する見ものではありませんか。

わたしは、後日の講義で隠喩を論じるときにまたケームズ卿に戻ります。観念やイメージのつながりに関する彼の理論は、一八世紀の典型的《連合説》です――デーヴィッド・ハートレリー[24]がそのために偉大な預言者の役割を演じた《連合説》です――そしてこの理論を《修辞学》の細目に適用した結果は、自らを論駁して否定しただけでした。これらの理論を乗り越えなければなりませんが、それがいかに誤っていようとも、あるいはその帰結がいかにばかばかしく見えようとも、忘れてならないことは、これらこそ偉大で斬新な企ての始まりであり、第一歩だったということです。つまり、言語がいかに作動するかを詳細に説明し、それによってコミュニケーションを改善しようとした試みでした。そういうものとしてこれらの試みには、最大限の見識をともなった同情的なまなざしを注いでやるだけの価値があります。じつのところ、たとえばハートリーを読んで、彼が取り組もうとした課題がいかなるものであったかを理解するなら、深い同情を禁じえません。彼は結論部で、すべての誠実な探究者の思いをあらわす次のような言葉を書いています。「以上述べたことが、連合によって語に密着している観念についての十全な、あるいは申し分のない説明になっているとはまったく言えない。なぜなら、以上の推論に関して筆者はまだ初学者にすぎないと自覚しているからである。そしてまた、言葉を言葉によって根底まで説明するのは困難であり、不可能かもしれないからである」（『人間論』二七七頁）。こういう言葉だけでなく、次のように言っている箇所にも同情します。「習慣、模範、教育、権威、党派心、工作技術や自由学芸の修得法などに関して、古代から近代にいたる多くの人々が述べてきたことといっさいは、この連合説を土台としており、この教説をさまざまな環境に適用した細目であるとも考えられる。わたしは本書でもっとも単純な例から始めたいと願い、いずれだんだんもっと複雑な例まで引き続き説き及んでいって、最終的にはこの課題についてわたしに思いつくかぎりすべてを論じ尽くす予定である」（『人間論』六七頁）。

こういうことを書いた人は、「埋み火をかき立てるのに上から突っつく」ような真似をしていませんでした。この学科に空気を吹き込んで燃え上がらせるために彼がとった方法は、かならずしも周到だったとは言えないかもしれません。だが彼は何がなされなければならないのかをわきまえてしまいました。だから、コールリッジが一時期ハートリーを他の誰よりも賞賛していたのも不思議ではありません。というのも、意味の形成や変化に対しては——その研究は言葉を通じてする以外にないのですが——ハートリーが触れていることすべてが、またそれ以上のことが、基礎として作用しているからです。というのも、この多様な世界すべての素材をなすものこそ意味の素材であると言っても過言ではないからです。思い出していただきたいのですが、わたしは冒頭バークリーの話をしました。つまり、イェイツ氏[★25]の高貴な詩行で次のように謳われているバークリーからお話を始めたのです。

> いっさいは夢であって、
> この実利的で、まったくばかげた豚のような世界は、とても本物に見えるその子豚は、
> 精神がテーマを変えただけでもたちまち消失するに違いないことを立証した、神に任せられたバークリー。

わたしたちは何を研究しているにせよ、意味の成長を通じて研究しているのです。そのことを認識すれば、意味の成長や意味同士の相互作用がどのように起きるのかということを直接研究しようというこの試みが、大きな実際的重要性を帯びた企てに多少とも貢献することになります。さもなければ、重箱の隅をつつくような手の込んだ哲学的奇術とも見えるかもしれませ

んが。というのも、この研究が理論として追究されるのは、ひとえに、実際的な問題に関わらんがためだからです。以下にホッブズ[★26]が師たるベーコンから学んだことを凝縮して表現した一節を引きます。

哲学の目的ないし目標は、私たちが自分の利便のために、予見された結果を用いることができるということ、もしくは物体を物体に結合することをつうじて、脳裏に思い描かれた結果と同様の結果が、人の力と諸事物の材質が許すかぎり、人間生活の用向きのために、人びとの精励によって生み出されるということである。なぜなら私は、誰かある人が疑わしい物事についての困難を克服したり、最も深く隠れた真理を発見したりしたことで、心中ひそかに喜んだり勝ち誇ったりするということが、哲学のために費やされなければならないだけの労苦に値するとは思わないし、自分がものを知っているということを他人が知ってくれるなどということは、そのことから何か別のことが結果として生じるだろうと考えられるのでもないかぎり、実のところ誰にとってもたいした努力を払うべきことではないと考えるからである。学問が樹立されたのは力のためであり、定理(これは幾何学者たちにあっては特性の探究である)が樹立されたのは問題のため、ということはつまり問題を構築する技術のためであり、結局あらゆる考察は、なんらかの行為ないし仕事のために企てられたのである。

したがってわたしは次回の講義で、定理[27]を使用して問題を構成する段階へ進む予定です。そしてこれ以上言いつのりはしませんが、これらの問題こそ、意識するとせざるとに関わらずわたしたちが、目覚めているかぎり四六時中取り組んでいる問題なのです。

★1 「敏速について」(Of Dispatch)。引用は前掲書、渡辺訳『ベーコン随想集』一一五頁。「はしがき」題辞の直後に続く箇所である。

★2 ジョージ・バークリー(一六八五～一七五三)。アイルランドの哲学者、聖職者。主観的観念論の代表的論者。

★3 紀元前四世紀古代ギリシャの哲学者。レトリックに関して著書『弁論術』、『詩学』を遺した。

★4 リチャード・ホエートリー(一七八七～一八六三)。英国の論理学者、ダブリン大主教。

★5 サミュエル・テイラー・コールリッジ(一七七二～一八三四)。英国ロマン派の詩人・批評家。

★6 『メトロポリターナ百科事典』(*Encyclopedia Metropolitana*) コールリッジ編集により一八一七年に創刊された百科事典で、コールリッジは当初、編集責任者として出版計画に携わって「序文」を執筆したが、五巻刊行後に頓挫。完成時はコールリッジの手を離れていた。

★7 リチャード・クレーヴァハウス・ジェッブ(一八四一～一九〇五)。英国の古典学者。グラスゴー大学やケンブリッジ大学でギリシャ語の教授をした。

★8 前記『メトロポリターナ百科事典』所収の項目「修辞学」中の《序論》のこと。

★9 英国の法学者、哲学者(一七四八～一八三二)。功利主義の創始者として知られるが、他方で、リチャーズとの共著者C・K・オグデンにより編集された遺稿『ベンサムの虚構理論（*Bentham's Theory of Fictions*）』（一九三二年）で明らかになったように、世界を虚構と見る論者でもあった。第5講★4「ファイヒンガー」についての注参照。

★10　アルフレッド・ノース・ホワイトヘッド（一八六一～一九四七）。英国の数学者、哲学者。一九二四年以後米国に移住してハーヴァード大学の教職に就いた（リチャーズは一九三九年以降ハーヴァード大学の教職に就く）。この講義でリチャーズがホワイトヘッドを「この講座のきわめて著名な前任者」と呼んでいるのは、ホワイトヘッドが一九二九～三〇年のメアリー・フレクスナー記念講座に招聘されて「観念の歴史」（*The History of Ideas*）を講じたことに言及している。

★11　ベネデット・クローチェ（一八六六～一九五二）。イタリアの哲学者、政治家。新ヘーゲル主義の立場で、美学を軸に歴史や哲学を総合する体系を模索した。

★12　観念や感情など精神的要素の連合つまり結びつきによって精神活動を説明しようとする見方。とくに観念と観念の連合は連想と呼ばれる。

★13　心理学は意識の内観によるべきではなく、外から観察できる行動、すなわち運動とか腺の分泌とかのみを扱うべきであるとする研究者。

★14　実証主義の一側面のこと。

★15　フランシス・ハーバート・ブラッドリー（一八四六～一九二四）。英国の哲学者。イギリス経験論の系譜を批判し、ドイツ観念論を取り込もうとした理想主義哲学を主唱した。

★16　イワン・パヴロフ（一八四九～一九三六）。ロシアの生理学者。条件反射学説の提唱者。

★17　心理学におけるベルリン学派。ゲシュタルト心理学は、要素の加え算的総和として心理を説明しようとした構成心理学に反対し、全体的構造であるゲシュタルト（形態質）に注目した。

★18　ジークムント・フロイト（一八五六～一九三九）。オーストリアの精神科医、精神分析の創始者。

★19　ケームズ卿ヘンリー・ホーム（一六九六～一七八二）。スコットランドの哲学者、法律家で、スコットランド啓蒙主義の中心人物。『批評の原理（*Elements of Criticism*）』（一七六二年）は評判がよかった著書。

★20　スコットランド最高の民事裁判所。

★21　シェイクスピアの戯曲。引用は松岡和子訳『ヘンリー五世』（シェイクスピア全集三〇、ちくま文庫、二〇一九年）、一四六頁。

★22『ヘンリー五世』の登場人物で、ヘンリー王配下の一兵卒。この場面で兵士たちの士気を探りにお忍びでやってきたヘンリー王に気づかずに、王と会話を交わす。

★23『批評の原理』の出版年は★19に示したように、正しくは一七六二年。

★24　英国の医師、心理学者、哲学者（一七〇五～五七）。生理学的心理学を提唱した。段落後半に引用されている『人間論（*Observations of Man*）』は一七四九年に刊行された彼の主著。

★25　ウィリアム・バトラー・イェイツ（一八六五～一九三九）は、アイルランドの詩人、劇作家。引用は詩「血と月」（"Blood and the Moon"）（一九二七年）より、中林孝雄・中林良雄訳『イェイツ詩集』（松柏社、一九九〇年）、三二二頁。

★26　トマス・ホッブズ（一五八八～一六七九）は英国の哲学者。引用は、本田裕志訳『物体論』（*De Corpore*）（京都大学学術出版会、二〇一五年）、二〇～二一頁。

★27　定理（theorem）は公理（axiom）あるいは公準（postulate）を基礎にして証明することが可能な命題のことである。公理あるいは公準は証明不要で正しいと見なされる基本的仮定であり、リチャーズは「定理」という言葉で、公理あるいは公準から直接引き出せる基本的仮定（命題というより問題）を意味していると思われる。

第2講　言述の目的と多種のコンテクスト

しかしながらわたしは繰り返し申し上げますが、教育にはもっとも重要な部分、ほかならぬ基礎をなす要素があります。それについて明示的に語り、ついでに触れるにとどまらず、意を尽くした進言が、貴校で例年おこなわれる卒業式記念講演の題目として一度でも選ばれたりしたことはありそうもないと断言しても、おそらく過言ではないでしょう。

――ヘンリー・ジェイムズ[★1]、ブリン・モー卒業式記念講演『わたしたちの言葉の問題』

まえおきとして前回おこなった講義でわたしは、言葉がいかに作動するかという問題について、《修辞学》という名で通っている評判の悪い学科に取って代わるような、執拗で系統的で細部にわたる考究をおこなう余地があると主張しました。さらにこの考究が哲学的でなければならないとも申し上げました。あるいは、——哲学的という語があなた方には取っつきにくいなら、わたし自身も取っつきにくいので——この考究は自らの仮説を批判する責任をもたねばならず、他の研究から出来合いの仮説を、やむをえないわけでもないのに借りてきて利用してはならないと言い直してもいいでしょう。語が意味するのはいかなる作用によるのかという問いに対する答えとして、常識という奇怪な自然発生物から受け継がれてきた見方も、たとえば心理学のような別の科学が請け合った見方も、安心して受け入れるわけにはいきません——別の科学自体も言葉を使っているし、この問題に取り組む場合には当てにならないことに変わりないのですから。その結果、甦らされた《レトリック》、すなわち言葉による理解や誤解に関する研究は、意味の様態を追究する課題に独自に取り組まなければならなくなります——古い《修辞学》がしていたように、言述を構成する大まかな部分の異なる配列がもたらす効果を巨視的に論じるだけではありません——意味の基礎単位と推定されるものの構造や、意味の基礎単位やその相互結合が生じる際の条件に関する定理を用いて、微視的にも論じなければなりません。

古い《修辞学》にはもちろん、新しい《レトリック》にとって有益と見なされることも多々含まれています——それ以外にも、人間がその本質を変えて、論争や諍いが少なくなり、同胞を怒らせたり、だましたり、いじめたり、丸め込んだりしなくなるまでは、役に立ちそうな要素がたくさん含まれています。拷問[★2]によって引き出された証言の法廷における扱いについてアリストテレスが書いた言葉は、不幸にも、世界のどこかのきわめて進んだ国でいまだに有効ではありませんか。

古い《修辞学》の一般的な論題のなかに、わたしたちがやろうとしている考究にとってとくにしっくりくるのがあります。古い《修辞学》は諍いの産物です。法廷弁論や説得の原理だったのです。言葉による争いの理論だったし、いつも闘争心につきまとわれてきました。そこからもっとも学ぶべきことはおそらく、あの執念、あの論争者に取りつく利害心の、人を狭量に盲目にする影響力ではないでしょうか。

説得は言述が帯びうるいろいろな目的のなかのひとつにすぎません。それはほかの目的を侵害します――とくに提示という目的は侵害されます。この目的は、ある見解を開陳しようとしているだけで、他人に同意させてやろうとか、おのれを咀嚼してほしいということ以外に何かをやらせようとか、説得しようなどということをめざすものではありません。学会誌や科学雑誌のなかの書評欄や通信欄は、このような侵害が盛んに起きている現場を観察するのに適したところです。何か提示しようとしているとき――とりわけわたしがこれから取りかかろうとしているような、議論の余地があり、通説に反するような事柄を提示しようとするとき――、闘争心が、いかにやすやすとわたしたちの精神に馬の側面目隠しみたいなものをかぶせて、相手の言葉を他愛なく論破できるみたいに曲解させるものかを知っておくことは、覚悟として悪くないでしょう。

この教訓――よろしければ自己弁護と呼んでくださってもかまいませんが――これを補強するためにわたしは、一九世紀に《修辞学》改革試案として出された数多の小冊のうちからひとつを選び、そこからささやかなお手本を抜き出してお見せすることができます。それはベンジャミン・ハンフリー・スマート[★3]の『実践的論理学』にある一節です。名門女子専門学校のための教科書として書かれ、一九世紀の中葉二、三十年間も使われていた小さな本ですが、いまやすっかり忘れられています。スマートは命題提示という行為について論じています。陥りやすい過ちを数々あげていき、次のようなくだりにいたります。

《避けるべき過ち、その十》、すなわち《命題の忘却》。

そしてスマート曰く「この過ちについては、次の文例をあげるだけで十分であろう。

怒りは瞬間的狂気と呼ばれてきた。悟性にきわめて乏しい者はきわめて怒りやすい。注目すべきは、論争者が自らの非を暴かれそうになると、議論で足らざるところを暴力で埋め合わせようとすることである。これは意地のなせる業である。自らの誤りを認めようとせず、それを悔い改めまいと決心しているがゆえに、情念に駆られるのである。

この文例の著者は(とスマートはコメントしているのですが)、怒りが瞬間的狂気と呼ばれてきた理由を示すほうへ話を進めるべきなのに、特定の命題と必然的関連性のない考察に迷い込んでいる。この著者は次のように論を進めるべきだった。

怒りは瞬間的狂気と呼ばれてきた。この呼び方が正しいと納得するには、怒りの結果を見てみればいい。怒りは人間の判断力を乱す。そのために、怒りに駆られた人は最愛の友人をも傷つける。次の瞬間にはさんざん機嫌をとりたくなる友人を相手にして、怒りのため、心が冷静ならすぐに気づいて避けるはずの危険のなかに、まっしぐらに飛び込んでしまう。たしかに、怒りがいつもこれほどまでに心を乱すとは限らないが、かならずその理不尽さに比例する程度まで心を乱すことは間違いない。それゆえ、怒りを狂気と呼んでも正しいと言えよう。」

初期ヴィクトリア朝時代の小説から借りてきたみたいな場面を描き出しているこの一節には、命題とのいかなる必然的関連があるというのか、と訊いてみたくなりませんか。また、怒りがかならずその理不尽さに比例する程度まで心を乱すのは間違いないと言える根拠はどこにあるのでしょう。しかしながら、この戒めを肝に銘じて、心をゆがめる情念は怒りだけではないことを忘れないようにするほうがましかもしれません。笑いの衝動や退屈も判断力を乱すことがある、とスマートは言いたかったはずだとわたしは思います。

さて、命題を忘れることと、「瞬間的狂気」が闘争心やその他の情念によって引き起こされることという、二つの危険について与えられた警告を踏まえつつ、意味に関しても、ホッブズの言葉を借りて言えば定理について、手短かに述べることにしましょう。これは、新しい《レトリック》のもっとも一般的な諸問題を構成するのに役立つことになるかもしれません。

しかしここでもうひとつの警告を付け足しておくのがいいでしょう。以下に述べることはどうしても極端に抽象的で一般的になるしかないという警告です。したがって、以下に述べることは、望めるかぎり十分なコミュニケーションを果たすよりもむしろ、そんな高度に抽象的な言葉でコミュニケーションをする困難さの見本になるかもしれません。そうであっても、困難をきたすのはわたしの愚かさのせいでも、わたしとみなさん両方の愚かさのせいでもない、そうわたしは願い信じています。悪いのは言語が抽象的になることです。ここでは抽象的にならざるをえません。思うに、これから申し上げようとしていることは、もっと具体的な言葉で表現するのが危険なのです。なぜなら意味のあれこれのあり方についてお話しするのではなくて、意味一般についてお話しするからです。だからこれからは、例をあげるところから始めるわけにはいきません。あらゆる物事がわたしのこれから申し上げることを等しく例証することになるからです。だから、あらゆる物事がいかに捉えられうるかということこそまさに問題なのです。しかし、これからひとしきり抽象的な話をしたら、それに続くあとの講義でお話しする応用編が、いまわかりにくい部分をきれいに解き明かすはずだ、とわたしは信じています。簡単に言えば、この定理をごく上手に使いこなしてみせたら、定理とは何であるかが見えてくるのです。

ですからこれから半時間ばかり、みなさんは言葉が右の耳に入ってきて左の耳から抜けていく単なる音にしか聞こえないような気がしてくるかもしれませんが、寛大に受け止めてくださるようお願いしなければなりません。あるいは、容赦いただく代償として、言葉の日常的な振る舞いにおける実際的な諸問題にきっとふたたび戻ってくるというお約束を受けとってくださいい。そのあいだ嘗めていただくほかならぬこの困難こそ、主要な実際問題の実例となってくれます。

これから申し上げようとしていることは、正しいとしても、わたしたち誰もがある意味で、わざわざ言われるまでもなくとてもよく知っていることです。ジョンソン博士[★4]はこう言いました。「十分に認識されていないけれども、人々は新たに教えてもらうよりも思い出させてもらうほうを必要としている場合が多いのである。」わたしはみなさんに、あまりにも単純なために念頭にのぼらないことを思い出していただこうとすることになります。このうえもなく単純なことであり、再度ホッブズの言葉を借りれば、「万人にとって明晰かつ明白であること——もっとも、形而上学者による難解な著作を読み、そこでは何ひとつ普通の言い方では述べられていないと考え、自分の理解していることを理解しているとは自分では知らずにいる人びとにとっては、話は別である[★5]」ようなことです。また、ロッツェ[★6]がこの講演と関連する学科課程の講義を始めるにあたって、「ここで用いられる概念のもっとも単純なもの、つまり物という概念やその存在という概念は、はじめのうちはいかに明晰に見えても、考察を深めていくうちに不明瞭の度をつねに増していきます」と言ったことを思い出せば、救われたような気がするかもしれません。「つねに」と言う代わりにわたしは「当分は」と言いたいところなのですが。あとで明晰に戻ってきますから。さて、これからが本題です。

わたしは二組の問題群を視野に入れています。一組目はつい先ほどまでわたしがお話ししていたこと――言述のさまざまな目的の分類、つまり何のために話したり書いたりするか、という問題です。簡単に言えば、言語の機能のことです。もう一組の問題群はもっと奥が深く、それを正しく設定できれば、言語機能をめぐる諸問題に取り組むための最良の出発点になります。そういう奥の深い諸問題はいろいろな言い方であらわせます。頭のなかのできごとが外界の別のできごとを意味するようになる仕組みとして、どんなつながりが頭と外界のあいだにできているのか、あるいは「何かの想念は、それが何についての想念であれ、いかにしてそれに〈ついての〉想念になるのか」、あるいは「物とその名との関係はいかなるものか」などと言ってもいいでしょう。最後の言い方は他の言い方ほど意を尽くしていないように見えるかもしれませんが、どれもみな同じ問題です。また、「名」に言及する定式化を含めたわけは、名をつけることについての単純すぎる見方こそ、あるいは、語をそれがまるで名（たいていは観念の名）であるかのように見なす扱い方一般こそ、従来の研究の主たる欠陥だったからです。以上の事柄は、みなさんもおわかりになるでしょうが、ほんとうに奥の深い問題です。そうである以上、満足のいくような答えは望めないでしょう。ある程度役に立つ答えが得られれば、それでよしとせざるをえません――何よりも答え自体を改善するのに役に立てばけっこうなのです。

定理を述べるにあたってまず、わたしたち人間は他の物に対して独特の反応をする物であると言うことから始めるのが安全でしょう。このことを展開するためには、わたしたちの反応の特徴を考慮に入れなければなりません。わたしたちの反応の仕方にはあらゆる種類があります。そのなかには、短く切り取ってみれば比較的単純なものもあります。たとえば、大きな音に反応して跳び上がったり、温度の変化に反応したりするときなどです。しかしそういう場合でも、わたしたちと温度計を比べたら、わたしたちの反応が複雑さの点で段違いに異なっているとわかります。温度計は反応します。温度とともに水銀柱の長さが変わります。しかし、現在の温度にしか反応しません――その温度計が狂っていないかぎりですが。過去に温度計がどんな目に遭ってきたか、以前にどんな温度を表示してきたか、どんな順序で表示してきたか、そういうことはどれもこれも、変化する温度に温度計が現在どう反応するかということにはなんの関係もないし、干渉することもありません。でも、こんな温度計を想像してみることはできます。その温度計は、温度が上昇したあとに下がってM型曲線をこんなふうに描いたときはいつでも、過去に温度が上昇したあとに下がってM型曲線を描いたときに経験したことを考慮に入れなければ説明できないようなことをやってのける、しかも、温度が下がってから上昇してW型曲線を描いたときは、また別なことをやってのけるのです。そんな想像上の温度計は、生命をそなえたシステム、つまり、まあ、頭を有すると言ってもいいようなシステムの、振る舞いの特徴を示す域に近づいていると言えるでしょう。

さて今度は、わたしたち自身の頭のもっとも単純な作用を考えてみてください。わたしたちは刺激に反応するときに、過去に多少とも似通った刺激に出会ったときに経験した別のできごとに影響されないということがあるでしょうか。おそらくないでしょう。新種の刺激は新種の感覚、たとえば新種の痛みを引き起こすかもしれません。そうであってもやはり、わたしたちはおそらく、それをなんらかの痛みであると認識するはずです。過去の多少とも似通った経験から生じる効果は、わたしたちの反応に独自の性格を与えることになるのですが、そのかぎりにおいてこれは意味であると言えます。確かに低級な意味であり、最低の進化しか遂げていない動物が生きるよすがとするたぐいの意味です。意味とはすべてどれほど遠い過去まで遡るものか、意味は有機体が成長するのとよく似ていかに相互関係から育ってくるものか、意味は相互にどれほど切り離しがたいものか、それを認識することが大切です——だからこそわたしは、ごく基礎的なこういう初歩的事象にまで遡って話を始めたのです。

これと同じことを言うために、人間が感覚を有するということを否定するやり方もあります。そんな否定は過激であると思われるでしょうが、正しく理解されればほぼ確実に真理なのです。感覚というのは、それ自体としてただその通りに存在したもののことで、つまり所与だということになります。そういう所与としての感覚を人間はもちません。その代わりに人間が有するのは知覚です。すなわち、現在の出会いだけでなく過去の出会いからも受けた特徴をそなえる反応です。知覚はけっして単なるそれ自体からなるものではありません。知覚は、何を知覚するにせよ、それをある類に属するものとして受け止めます。最下等から最高等にいたるまであらゆる思考は——他の何であるにせよ——まず種類分けなのです。

これが定理の肝心なところです。なぜならば、もしこれが認められれば、語の意味に関する従来の説明をゆがめてきた最悪の欠陥のひとつが取り除かれるからです——この欠陥のために《唯名論》、《実在論》、《概念論》[★7]のあいだでたたかわされた論争が起きました。人間は抽象的観念を有しているのか、いかにしてそれを得るにいたったのか、そもそもそれは何なのか、などと争われた一八世紀英国哲学における大論争を見れば、その経緯がもっともよくわかるでしょう。この定理が申し立てるのは、意味にははなから始原的な一般性と抽象性があるということです。だからウィリアム・ジェイムズ[★8]に倣って、最下等の生物——ポリプあるいはアメーバ——が、いやしくも過去から学び、行動中に「やあ、誰かさん、また会ったね！」などと興奮するとすれば、それによってこの生物は自らが概念的思考をしていることを証明している、と言うのです。概念を使って——もちろん、概念についてではありませんが——振る舞っている、ないし思考しているということです。その行為は抽象的であり、一般的です。その行為は、かつての状況をいくつかの点で無視しているわけで、したがって抽象的ですし、あるひとつのことではなくある類に属するどれに対してもいくつかの点で応じているわけで、したがって一般的です。

定理は、一八世紀の問題を逆立ちさせることによって解決します。問題とは、この特定の具体物、あの特定の具体物、その他特定の具体物から出発して、いかにして人間は一般的抽象的な何かに到達することができるのか、ということでした。定理が主張するのは、人間は、一般的抽象的な何かから出発するのであり、それを世界が要請するところに応じて分けながらいくつかの類に属させ、そのうえで、これらの類の重なり合ったり共通していたりする帰属関係を手がかりにして具体的な特定の何かに到達するのだ、ということです。いまここにわたしが持っているこの一枚の紙は、それを、紙の類に属し、ここにあるという類に属し、いまあるという類に属し、わたしの手のなかにあるという類に属しているものと考えるかぎりにおいて、わたしたちにとって具体的で特定の何かとなります。これをもっと多くの類に属するものと考えれば考えるほど、もっと具体的になりますし、属する類がもっと狭められてもっと排他的になればなるほど、もっと特定化されます。

定理の次の段階は語とその意味という問題に進みます。これまで述べたことを要約して、意味とは代表として託された効力のことだと言えば、この要約はとりわけ語の意味にあてはまります。語の意味のいいところは、そこにないものの力を示してくれる代理であることだからです。語の意味は、他の記号と同様ながらもっと複雑な方式で、コンテクストを通じて代理役を果たすのです。

ここで、この「コンテクスト」という語にわたしが与えようとしているやや特殊な術語的意味を説明しなければなりません。ここにこの定理の肝心要の特徴があります。この術語は「文脈」という言葉にこめられるおなじみの意味を帯びています。文章のある語の前や後ろにあって、その語がいかに解釈されるべきかを規定している他のもろもろの語という意味です。そういう文脈という語の意味は、あれよあれよという間に拡張され、本のなかのある語を除いた残りすべてを含むようになることもあります。わたしはボザンケット博士[★9]の著書で、彼が《学問の黄金律》と呼んだものにはじめて出会って、えらく衝撃を受けたことを思い出します。すなわち「全巻を隈なく読んでもいない書物のなかのどこかを引用したりコメントしたりしてはならない」という戒律です。こんな規則が守られたら、他の《黄金律》が守られた場合と同じで、奇怪な平和が世界に行きわたることでしょう。正直なところ、こんな《黄金律》をわたしは守る気も推奨する気もないと言わねばなりません。《この世の子たち》にとってもっと賢明な中道があります。とはいえ、わたしは学者でもないし、学者になりたいとも思わないので、そんな規則を実践しなければならない必要もありません。

「コンテクスト」という語のおなじみの意味をもっと拡張するには、何かが書かれたり言われたりしたときの環境を含めることができます。さらにもっと拡げて、たとえばシェイクスピアに出てくるある語に対して、当時その語が使われたときの他の知りうるかぎりすべての用法を含めることもできれば、さらに拡げてついには、その時代に関する何であれ、あるいはその時代でなくても解釈に関連があれば何であれ、含めることもできます。この「コンテクスト」という用語をわたしが学術的に使おうとする場合、そういう拡がり方にはとても及びません――ただし、解釈を決定する条件と関係している点において、似ているところがないとも言えません。これをもっともうまく理解するには、因果律が述べられる際に扱われる、自然のなかで反復生起する事象を考えてみるのがいいかもしれません。

ごく簡単に言ってしまえば、因果律とは、ある条件のもとにある二つのできごとのうち、一方が起きれば他方も起きるということを言っているものと解してもいいでしょう。ふつうは先に起きたことを原因と言い、二番目を結果と言いますが、拍手をして両手がヒリヒリしたときなどのように、二つが同時に起きることもあります。最終的原因ということを言うならば、順序を逆にして、みなさんがいま聴講しているこの講義が、みなさんがここにいらした原因だったということになります。ここにはいくつかの点での恣意性が少なからずあらわれますが、それが生じるのは、因果律が必要とされるときの目的がさまざまだからです。そういう目的に合わせてできごとをどのように分割するかは人間が決めています。地球の存在をひとつのできごととし、時計の時を刻む音をもうひとつのできごととする、等々のように。そして「原因」や「結果」という呼び名を好きなように分配するのです。したがって、夜は昼の原因であるとか、昼は夜の原因であるとか言いたがらず、諸条件を前提にすれば地球の自転が夜と昼の交替を起こす原因であると言いたくなるのです。群れをなす諸条件全体すなわちコンテクスト――ともにつながり合っている前後のできごと——のなかから、どれを原因として取り上げるかということについて、人間はとくに恣意的です。したがって検屍官は、ある人間の死の原因が殺人犯の行為にあり、その人間が殺人犯と出くわしたことも、その人間の心臓が停止したことも、防弾チョッキを着ていなかったことも原因ではなかったと決めるわけです。そうなるのは、検屍官の関心がある種の因果律に向けられ、他の因果律には向けられていないからです。だからこで、意味の因果律についての定理を略述するにあたってわたしの関心は、ある種の因果律にだけ向けられており、それ以外について何かを言うことに必ずしも向けられていません。

そこで今度は「コンテクスト」という語の意味です。ごく一般的に言えばそれは、ともに反復生起するできごとの群れ全体を指す名前です——そのできごとには、わたしたちが何であれ原因ないし結果として選び出すものだけでなく、必要とされる条件も含まれます。しかし、意味が依存する因果的反復の生じ方は、先にわたしが述べたように、代表として託された効力としてあらわれる点で独特なのです。この種のコンテクストでは、あるひとつの要素——典型的にはある語——が、反復生起からこの場合に省略されうる部分の役目を引き継ぐのです。したがってここにはコンテクストの削減が起きています。生物の振る舞いにしか見られない削減であり、もっとも広範で強烈な形は人間によってなされる削減です。この削減が起きると、記号ないし語——代表として託されたこれらの効力を帯びた要素——の意味とは、コンテクストから省略されて失われた部分となります。

このような削減がいかにして起きるのか、記号がいかにして不在の原因や条件の代わりをすることになるのか、ということを問題にすれば、わたしたちはただちに知識の限界に突き当たります。誰にもわかりません。条件反射の複雑性を分析することにかけては、長足の進歩が今世紀に遂げられましたが、それでも生理学的考察はこの問題の解明に向かってほとんど一歩も進んでいません。移転つまり受け渡しの過程が依然として未解明にとどまっています。おそらくこの「学習過程の問題」は、生命の本質そのものと同じくらい深遠なのでしょう。過去に生起した事象からなんらかの残存効果が残され、それがのちに反応を規定するのにあたって記号と協働すると仮定してもいいかもしれません。そのような見方には、生命のないシステム——印刷物や蓄音機のレコードなどのようなもの——の大まかな作用を巨視的に捉えた隠喩が使われていることになります。人間はそういう隠喩を使うのがなかなか器用で、神経組織のなかに印象を蓄積する保管庫とか、すごい性能の電話交換台とかを作り上げてしまうこともできます。しかし、そんな保管庫のなかの在庫がどうやって検索されるのでしょうか。あるいはそんな電話交換機でどうやってAが、一度に多数の接続先につながって混線したりせずに、自らが必要としているBにつながるのでしょうか。そういうことがまったく謎のままなのです。

幸いなことに、言語学や意味の理論は、この謎が解明されるまで待つ必要がありません。この問題に対する答えがなくても、これらの研究は、これまで想像されてきた以上にはるかに深められる可能性が高いのです。語の意味は、それが代表している効力を託されるにいたった出発点たるコンテクストから省略された部分である、そう言うだけでここでの目的に十分かなっているのです。

ここで思い出していただかなければなりませんが、わたしは先ほど、意味の始原的な一般性と抽象性などと言いました。そしてわたしたちがもっとも単純に見える具体的事物を意味する語を使うときに、その具体性は、それをいくつもの類に同時に属させる捉え方からあらわれてくるということについてお話ししました。その事物のなかで類が共に成長して意味を形成します。この点に関して、よくあることですが、理論は「具体的」という語のなかに与えられている語源的なヒント[★10]を利用してもいいでしょう。

この点を忘れて、特殊なるもの（コールリッジの呼び方によれば「固定され限定されたるもの」）の個別の印象から出発して、これらを組み立てて集塊に仕立てるつもりになると、わたしが推奨している定理はたちまち崩壊し、矛盾や不条理の寄り合いに堕してしまいます。それこそ前回わたしが不服を唱えたハートリー流《連合説》の欠陥でした。あの連合説は原点にまで十分戻りきれないまま、特殊なものの印象を出発点と受け止めていました。しかしこの定理にとって出発点をなすのは印象ではなく、類への帰属であり、認知であり、反応の慣わしであり、似た振る舞いの反復生起です。

特殊なものの印象はすでに具体化の産物なのです。印象の背後ないしその内部に、類への帰属の寄り集まりがありました。特殊なるものの印象をたくさん――たとえば、たくさんの白いさまざまなものを——もってきて、それらから白という観念を抽象するとしたら、それらをすべて白いと知覚するときにすでに潜在的に作動していた過程を顕在的に逆転しているだけです。そこには、こうして知的に到達した抽象性を、そういう印象がすでに——いかなる意識的な顕在的考察も始まらないうちに——成長したときの土台となった始原的抽象性と、取り違えてしまう危険があります。

簡単に言えば事物は慣わしの具体例なのです。ブラッドリーが言ったように、観念連合は普遍的特性しか結びつけません。そして人間の頭や世界におけるこの慣わし、つまり振る舞いの反復生起する類似性から、わたしたちの意味の織物が作られているのであって、この織物が世界です——過去の個々の印象を再生した複製から作られるのではありません。

定理についてはこれくらいにしておきましょう。この定理を用いて構成しなければならない問題はいかなるものでしょうか。

《レトリック》の課題全体はつまるところ語の意味の比較に帰するので、思うに最初の問題は以下のようなことであるはずです。つまり、語の意味とは以上述べた意味でコンテクストから省略された部分であるとすれば、二つの語の意味をどのように比較するべきかということです。ここに大きな誤解が生じる落とし穴があります。この比較を、そういう省略された部分を見つけ出し、詳述し、そのうえで比較するという過程を通じてやってみようなどとは言いません。そんなことはできない相談ですし、できるとしても時間の無駄でしょう。この定理は、意味を識別するためのまったく新しいやり方を教えようなどと触れ込みはしません。ただ、ありふれた誤解を招くいくつかの慣行や思い込みを取り除くだけです。

この定理の役割は、積極的というよりはるかにもっと消極的です。とはいえ、それだけ有用性が低いということにはなりません。この定理は、これなくしてはなしえない多くのことをなすにはいかにすればいいか、などということを教えてくれないかもしれません。だが、わたしたちが好んでなしている愚かなことをなさないようにしてくれます。この伝で進化論は、ドイツの新聞記事で伝えられたイヌのフリッツがほんとうに、子どもたちに代わって足し算をやってくれたとか、「敬愛すべきドイツ国旗」★11に敬礼するように子どもたちを促したなどという話を、少なくとも信じがたいと思わせてくれます。また同様に、初歩的な物理学さえわきまえていれば、雪には「革に対する独特な浸透力」、つまり水にはないような浸透力！があるなどというグラッドストン氏★12の揺るがぬ信念は、迷信に属すると見抜けます。グラッドストン氏にその程度の物理学の知識がないために、レイリー卿★13は、そんなことはないと氏を説得するのがとても不可能だと思い知ったわけですが。

意味についてのコンテクスト定理は、わたしたちが意味について抱きがちないくつもの無根拠で不調法な思い込みをすることから守ってくれるでしょう。精密な比較を妨げる偽の問題を作り出す過度の単純化を防いでくれるでしょう——そしてそれこそこの定理の主たる有用性です。この点でこれは、警察官教理とも呼べる他の多くの定理と同類に属します——なぜなら、そういう定理は、理想的な警察力に範をとって、わたしたちに何かをなさしめようとするのではなく、他の人々にわたしたちの合法的活動への不当な干渉をさせないように仕立てられているからです。文学批評にとっての価値に関する衝動整序の教理[★14]も、これと同様の役割を演じます。こういう警察官教理は、場違いな思い込みが叡智をくじいたり誤らせたりすることのないようにしてくれます。わたしはのちほど、そんなふうにのさばっている思い込みが、《レトリック》の大部分において引き起こしている制約を例示する予定です。前回、ケームズ卿が孔雀の羽根について見せてくれた単純な例についてお話ししました。あのとき牽制しておいたのが、イメージを意味の素材と見なす愚直な見解だったのです。

来週、慣用法について言われていることを論じるに際して、他の例も取り上げる予定です。顕著なことに、定理が牽制するのは、あたかも、ある一節がひとつの意味を有していたら、それが同時にもうひとつのことや矛盾することを意味するわけにはいかないかのように考えてしまうわたしたちの習慣です。フロイトが教えてくれたことによれば、夢は多くのさまざまなことを意味しているかもしれません。彼に説得されてわたしたちは信じるようになりましたが、象徴には、彼の言い方に従えば「重層的決定」を受けているものもあり、そういう象徴は原因のなかから選ばれた多くのさまざまなことを意味しています。この定理はさらに拡がって、あらゆる言述が――科学の学術用語に満ちた言述は別にして――重層的に決定され、意味の多重性を有していると見なします。こういう見方は、ほとんどいかなる大論争からも例証されえます。だからこの定理は——《真の意味はひとつ、ただひとつのみあるという迷信》を制約することによって——論争から学べるはずだという期待をもっと抱かせてくれる、とわたしは信じます。論争は通常、体系的な一組をなす誤解を好戦的な目的のために利用することから生じています。この定理は、諍いの剣を鋤の刃に転換できるかもしれないと示唆しているのです。そして（ホッブズに立ち返って言えば）、わたしたちが「自分の利便のために、予見された結果を用い……人間生活の用向きのため」に役立てられるような手段を見出すことになるかもしれないと。

次の問題は、語をつなげて文にしたら何が起きるのかということに関わります。少なくともこの問題はそんなふうに言いあらわされるのが普通です。しかし定理がわたしたちに教えているのは、問題を逆転させて、文となっている統合された発語からそれを構成している語のばらばらの意味を抜き出そうとすれば何が起きるのか、と問うべきだということです。この問題、つまり文の分析、および文中の語と語のあいだで起きている相互作用は、来週わたしが扱う主題です。そこにこそ、もっとも根深く、系統的で執拗な誤解が生じているのです。

三組目の問題群は、ひとつの発語に意味を付与するさまざまな型のコンテクストのあいだで生じる競合に関するものです。その筆頭を占めるのは明白な多義語です——たとえば reason という語が原因を意味したり、推論を意味したりするような場合です。わたしはここでこれを単純化して、これをほんとうに単純な曖昧さのひとつの型にしてしまっていますが、ほんとうは多くの場合はるかにもっと複雑で、「原因」と「推論」の意味の移動によって示せるほど容易に片づけられはしないでしょう。意味に関するコンテクスト定理を踏まえれば、わたしたちは、ほとんどあらゆるところに広範にきわめて微妙な種類の曖昧さが見いだされると予想することになります。しかし、古い《修辞学》が曖昧さを言語の欠陥として扱い、それを封じ込め排除したがったのに対し、新しい《レトリック》はそれを、言語にそなわる力の不可避的な結果であると受けとめ、わたしたちのもっとも重要な発語——とくに《詩》や《宗教》の大部分——にとって不可欠な方便であると見なすのです。そしてそのこともまた、わたしは後日例証する予定です。

言うまでもなく、提示に曖昧さがともなえば不都合なことであり、それは、わたしがいくら熱弁をふるったところで、みなさんがきっと感じてきたにちがいない不都合さと変わりません。しかし、中立的な提示というのは、言語の用法としてはきわめて限られた特別なものであり、比較的新しく発達した使い方ですから、わたしたちはまだ言語を（ある方面の科学を別にすれば）この発達に追いつかせきれていません。ここで浮かび上がってくるのが、言述の目的そのものを変動させるコンテクスト間のあの大規模な競合です。発語を組み立てる際にしろ、それを解釈する際にしろ、情念——闘争的な激情やその他——が介入してくると、たとえば「紙」という語がさまざまなコンテクストから意味を受けとるのとまったく同様に、コンテクストが働いている実例が見られます。ある文が、陳述をおこなうことに加えて、侮辱したりお世辞を言ったりすることまで意味するように組み立てられ、あるいはそのように解釈されるときにあらわれる余分な意味は——感情的な意味と呼んでもいいでしょうが——、わたしたちが思い込みがちなほど、平明な陳述と大きく異なるものではありません。語がコンテクストの省略された部分を意味してコンテクストの代用をするように、侮辱しようという意図も、蹴飛ばすこと——コンテクストの省略されている部分——を同様に代用しているとも言えるでしょう。同一の一般的定理があらゆる様式の意味に及んで成立します。

今晩わたしは、純粋な提示の領域に侵害してくるその他の言語の機能について述べることからお話をはじめました。純粋な提示にも、その守護神となるような激情がついているのは間違いないでしょう——それがなんという激情なのか、わたしにはわかりませんが。ただそれは、侵害者に負けないくらい強いということはあまりなく、容易にたらし込まれてしまいます。文明の物質基盤が技術的になってしまったのでとくにそうなのですが、少なくとももときどきは真理のみを大切にし、ときには侵害者を寄せつけないようにしておくことが、おおいに必要になってきました。だからこそ純粋な提示が広い領域でおこなわれるべきだと極端に力説されるようになったのです。しかしじつは、鉄道事業の日常業務とか、科学のなかの確定して扱いやすくなった部門を除けば、純粋な提示がおこなわれるのは比較的珍しいことです。わたしたちが成功を誇張してきたのは、戦略的理由からです——理由のなかには悪くないのもあります。自ら目がくらんでしまうようなことがなければ、励みになるからです。今夕わたしは要所要所でひたすら説明的な言葉づかいをしようとしてきましたが、うまくいったとうぬぼれるほど愚かではありません。レトリックという学科に踏み入れれば歴然とするように、いずれわかってきますが、もともと党派心に駆られた目標をめざす足がかりでないような解釈や解釈についての意見などは、きわめて見出しがたいものです。それゆえにわたしたちは、世界というものが——堅固な事実でできているどころではなく——むしろ因習の織物であると再発見することになります。どういうわけかはっきりしないながらも、そういう世界を作り上げ維持していくのが、これまでのわたしたちの性に合っていたわけです。そしてそれはときとして、わたしたちを足下から揺るがし、困惑させるような再発見です。

タイトルに「意味」という語を含む本[★15]を出版したら誰でも、独特な調子の愛読者感想文を受けとることになります。出版後ずっと、まぎれもなく精神異常であるような人たちからの手紙がちょくちょく届くのです。ほんとうに、これは危険なテーマであるようです。意味の原点に強くとらわれるのは穏やかでありません。わたしたちの信念がヴェールにすぎず、しかもヴェールを通さなくては知りえない何かとわたしたちとのあいだを仕切っている人工的なヴェールにすぎない、という感じ方を強めるからです。似たようなことは旅行のときも起きます。ある程度未知の国を訪れ、そこの暮らしを身近に見聞したことのある人なら誰でもご存じでしょうが、わたしたちの精神界のなかで因習がいかなる地位を占めているかに気づかされるのは、じつに心を乱し、見当識を失わせる経験です。そしてその見聞が身近であればあるほど影響は深甚となります。ロレンス大佐[16]ほど異国を親密に能動的に見聞した人はめったにいません。その彼が『知恵の七柱』序説の最後で、虚空のなかで対話する分裂した自我について書き、こう述べています。「そのときには狂気がすぐとなりに座り込んでいる。ヴェールを通して、すぐさま二つの風習、二つの教育、二つの環境を見ることができる人間のそば近くに狂気が座り込んでいると、私は信じているからである。」彼は精神的疲労について書いているのです。本のいたるところで戦争や砂漠の極限状況がむんむんと立ちこめています――人間を忍耐の限界まで押しひしぐ砂漠です。意味について単一のコードを求めて瞑想したところで、それほど痛ましいことにはなりません。それにわたしはブリン・モーをすでにじゅうぶん観察して、砂漠に似たところは少しもないとわかっています。したがって、考察を続けても、愛読者感想文に怖じ気づかされる羽目にならないか、などと心配しなくてもいいでしょう。

次回の講義の主題は、《語の用法と相互確定[17]（interinanimation）の教理》となります。そしてこの連続講演の残りは、哲学的というより文学的なものになり、理論化よりも実践批評を試みることになりますので、ジョージ・チャップマン[18]の詩から数行引用して今回は終えることにしてもかまわないでしょう。詩は《修辞学》の原則、解釈行為や「不偏不党の主張」、およびそれらと行動の正しい関係を歌っています。以下の引用を含む詩のタイトルは、

「学知にしたがう想像上の若者に寄す」

汝もし哲学の真の大家たらん
と欲すれば、その生き方は以下の通りなるべし。
汝の学ぶるところを秘せ
不偏不党の主張によって
汝の趣旨を実行することも公言することも妥当たることを証明するまでは。
そしてまた未だ公言せざるうちといえども、なんの劣るところが
汝の哲学にあろうか、もし記号や影を頼りにするより
むしろ汝の行ないによってその哲学が深まるならば。

わたしがこの講演でチャップマンの推奨する精神にもとることになったら、お許しを請わなければなりません。

★1 米国（晩年英国に帰化）の小説家（一八四三〜一九一六）。一九〇五年ブリン・モー・カレッジ卒業式記念に『わたしたちの言葉の問題（*The Question of our Speech*）』という題目で講演した。
★2 アリストテレス『弁論術』には「拷問による自白は一種の証言であって、それには信憑性があ

ると思われている」とある。戸塚七郎訳『弁論術』(岩波文庫、一九九二年)、一五〇頁。

★3　英国の教育者(一七八六?～一八七二)。修辞学、雄弁術に関する多くの著書のうち『実践的論理学(*Practical Logic*)』は一八二三年刊。

★4　サミュエル・ジョンソン(一七〇九～八四)。英国の文人、辞書編集家にして、一八世紀英国文壇の大御所と見なされた。引用は彼の個人編集週刊誌『ランブラー(*The Rambler*)』(一七五〇～五二)から。

★5　前掲書、本田裕志訳『物体論』、三四頁。

★6　ヘルマン・ロッツェ(一八一七～一八八一)。ドイツ観念論と科学を調停しようとしたドイツの哲学者で、一九世紀末に盛んに英訳されて英国知識人に影響を及ぼした。

★7　中世スコラ哲学において一一世紀頃から「普遍論争」が起き、普遍は実体として存在するかどうか争われたが、唯名論ないし名目論は普遍概念を「個物のあとに」生じる名辞にすぎないとし、普遍を「個物に先立って」実在すると主張した実在論ないし実念論と対立した。論争は一三～一四世紀まで続き、概念論は唯名論と実在論を仲裁しようとする新しい立場とみなされた。

★8　米国の心理学者、哲学者(一八四二～一九一〇)。プラグマティズムの重鎮。引用の典拠不詳。

★9　バーナード・ボザンケット(一八四八～一九二三)は英国の哲学者。

★10　「具体的」(concrete)の語源はラテン語で、con(共に)+ cretus(成長した)である。

★11　この逸話は、この講演当時ナチス統治下にあったドイツのプロパガンダのたぐいか。

★12　ウィリアム・ユーアート・グラッドストン(一八〇九～九八)。英国の政治家、首相。

★13　ジョン・ウィリアム・ストラット、レイリー男爵(一八四二～一九一九)、英国の物理学者。雪と長靴の革をめぐるレイリー卿とグラッドストンのやりとりについては、寺田寅彦「レーリー卿」(一九三〇年)でも触れられている。

★14　リチャーズは『文芸批評の原理(*Principles of Literary Criticism*)』(一九二四年)(岩崎宗治

訳、垂水書房、一九六一年）で、批評とは価値の把握をめざすべきものであると主張したうえ、価値とは抽象観念ではなく、衝動の整序として実現されるとする「心理学的な価値説」（同書第7章）を提起した。

★15　リチャーズはＣ・Ｋ・オグデンとの共著で一九二三年に、英米思想における「言語論的転回」の嚆矢とも見られる『意味の意味』（*The Meaning of Meaning*（石橋幸太郎訳、新泉社、一九六七年）を出版した。

★16　Ｔ・Ｅ・ロレンス（一八八八〜一九三五）。英国の考古学者、軍人、作家、いわゆる「アラビアのロレンス」。引用は柏倉俊三訳『知恵の七柱（*The Seven Pilars of Wisdom*）』（平凡社、昭和四四年）一巻、一一頁。リチャーズが参照したのは彼の講演の前年一九三五年に刊行された「普及版」であろうが、引用箇所は七章からなる「序の巻」第一章の末尾にあり、ここでリチャーズが「序説の最後」と書いているのは正確ではない。「普及版」の元となるいわゆる「オックスフォード・テクスト」は一九九七年に公刊され、これに基づく田隅恒生訳『完全版・知恵の七柱』（平凡社、二〇〇八年）では、引用箇所と同じ一節が「序説第二章」の末尾（一巻、六四〜五頁）にあらわれる。

★17　interinanimation はＯＥＤに掲出されていない語であるが、「相互不活性化」とでも訳せそうな語であり、浮動するものとしての意味を語同士の作用によって安定させるということを指している。アン・バートホフによれば、リチャーズはこの語をジョン・ダンから借りてきている。(Ann E. Berthoff (ed). *Richards on Rhetoric: I. A. Richards, Selected Essays, 1929-1974*. Oxford UP, 1991. p. 280.)

★18　英国の劇作家、詩人（一五五九?〜一六三四）。

第3講　語同士の相互確定

子どもが言葉の使い方を学ぶのは、立脚点となるようないかなる所与も定点も与えられることなくおこなっていることがきわめて明らかである以上、ゆくゆくは哲学者や誠実な人々も、たがいに易々と確実に理解し合えるようになるかもしれない。

——デーヴィッド・ハートリー『人間論』

今回は別な意味の「コンテクスト」——文脈——の話をします。前回、反復生起する一群のできごとという、意味に関する定理を考察するために都合のよい学術的な意味の「コンテクスト」からは、区別しておいたコンテクストのことです。語が文のなかで結合されていることによって生じる効果をいくつか考えてみましょう。語の意味がいかに文のなかの前後に配された他の語に依存しているかという問題です。ある文についてそのなかの単語が何を意味しているかを見定めようとしたら、どうなるでしょうか。

文[★1]とは、アリストテレスが説いたように、もちろん言述の単位です。この点に関して、書くときに語を分かつ近代以降のやり方がもたらした影響はとても大きく、いくら強調しても足りないほどです。話すときには普通そんなふうに分けたりしません——語について質問をするときは別ですが。書字であらわされたことがなくて、したがって特別なたぐいの文法的分析にゆだねられてきた言語についてでは——文法という呼び名は書字に由来しているということを思い起こしてもいいでしょう——、ある語がどこで終わり、次の語がどこから始まるのか、はっきりしないことがしばしばです。書かれた形の語は、話し言葉のなかで音の単位としてそなえているよりもはるかに明確な独立性が与えられています。それでついわたしたちは、意味に関しても語には、書かれた言述にせよ話された言述にせよ、そのなかの語が通常じっさいに有するよりもはるかに明確な独立性がある、と思い込む習慣を身につけてしまうのです。

語がたがいに依存する程度は、言述の型により明らかに変わります。程度の違いを測る尺度のなかで一方の端にあたる、高度な批判的検証を経て確立された専門科学の一分野の学術的に厳格な言葉遣いであらわされた精密な提示表現においては、語の大部分が独立しています。そういう語の意味は、他のいかなる語とつなげられても変わりません。あるいは、語の意味は変動しても、いくつか少数の安定した位置の範囲内におさまっており、記録することができるし、定義から外れることがありません。それが提示において目ざされる理想としての限定です。しかし嘆かわしいことに、わたしたちは——一七世紀以降ますます——厳格な言述を標準と見なし、その基準を他の言語表現にも押しつけがちになってきました。これではまるで、水がさまざまな長所をそなえていても、運河や浴室や蒸気機関のなかにあるかぎりは、じつは氷の薄弱な形であると考えているみたいではありませんか。尺度のなかで反対側の極をなしているのは、詩です——いや、ある種の詩であるというほうがいいでしょう。そういう例に見られる語の振る舞いに関するわたしたちの知識は、はるかに貧弱です——そういう場合における語の長所は、共に生起する他の言葉の意味から分離しうる、固定され確定された意味など有しない点にあるのです。ここに、これまで言語理論が明らかにしようとしてきたよりも多くの可能性があります。発語を構成する語同士で協働して成り立たせている意味がたがいにもたれ合っている状態にある発語全体は、それ自体意味が安定しません。ひとつの意味をあらわしているのではなく、複数の意味のあいだに生じる運動をあらわしているのです。言うまでもなく、きわめて精密な散文においてもつねに、意味の運動と言ってもいいことが起きています。文が展開するにつれて変化が生じるからです。たとえば「ネコがマットの上にいる」[★3]という文は、「ネコ」から始まり「いる」で終わっています。あらゆる明示的な文ではなんらかの意味の進展があります。しかし、きわめて精密な散文では、それぞれ別の語の意味が理論的には変化せずに固定されていて、言わんとする想念は語の意味をつぎつぎにたどって伝わっていきます。先ほどの尺度で正反対にあるような文では、文の意味全体が変動し、それとともに個々の単語にわたしたちが充てようとしているいかなる意味も変動します。極端な場合、文意は、わたしたちがその解釈のために新たな知見を持ち込み続けるかぎり、どこまでも変動し続けるでしょう。オクタヴィアス・シーザーはクレオパトラの屍体を見下ろしつつ、こう言います。

眠っているとしか思えない、
魅力という強力な罠で、第二のアントニーを
虜にするつもりか。★4

「魅力という強力な罠 (her strong toil of grace)」。この箇所で toil や grace という語の意味は、いったいいかなる辞書のいかなる項目に入れれば落ち着くと言えましょう。

しかしわたしの主題は《修辞学》であって《詩学》ではありません。したがってわたしは、依存的変動可能性を測るあの尺度によれば精密科学的ないし「厳格」な文の極を占める表現からほど遠からぬ位置にある散文に、話を限定しなければなりません。これからお話ししようとしているたぐいの散文の場合、話が少し進んだところまで待たないと、文のはじめの部分をどう理解したらいいのか、みなさんには見定めがつけられないのが普通でしょう。その代わり、わたしがユークリッドの初歩的定理をいくつか読み上げたりした場合は、そういうことにはな

らないでしょう。わたしが「三角形」と言えば、みなさんはその語が何を意味するかすぐに理解できるはずです。そしてさらに付け加えて言ったこと（等しい二辺を有する）が意味を限定するかもしれませんが、だからといって、みなさんがその前までその語に付与していた意味をぶち壊したり、完全に変えたりすることはないでしょう。しかし、たいていの散文では、しかもわたしたちがふだん思い込んでいるよりも多くの散文では、はじめの数語が何を意味するのか定めるのに、その後に続く言葉を待たなければなりません――ほんとうにそれで定められるとしての話ですが。

このことは、後続の語を待っている語の意味についてだけでなく、識別可能で、ただの意味から区別しうるその他の言語機能すべてについても妥当します。文の話題に対して発語者が抱いているなんらかの感情についても妥当しますし、発信者が築いたり維持したりしたいと考えている受け手との関係にも、発する言葉の正しさに対する自信の有無にも妥当します――以上は、他の言語機能のうち主なものを三つあげただけですが。話し言葉ではもちろん声の抑揚が、こういった目的のための補助手段にされます。だが、語の意味について言えることが、抑揚の仕組みについても言えます。冒頭の言葉の抑揚の意味は曖昧である場合が多く、それをじゅうぶんに解釈できるようになるには、発語が完了するまで待たねばならないからです。

書き言葉では、声の抑揚に代わる手段をなんとか見いだすほかありません。散文の文体の深遠な長所の大部分は、以上のようなさまざまな言語機能の競合する要求を和解させ結合させる技巧から生じています。そういう事情を論じるのによく用いられる、ちょっと謎めいた術語の多く、すなわち「調和」、「リズム」、「優雅」、「肌理（きめ）」、「なめらか」、「しなやか」、「印象深い」等々の言葉は、この視点から分析してみるのが最善です。いやむしろ、こういう特質を例示している（あるいは、具備しそこねている）と見なされる文章の吟味には、言語機能の多様性を念頭に置いておくのが最善です。なぜなら、このような語をそれだけ取り出して他との関連をつけずに理解しようとしても、どうにもならないことは明らかだからです。異なる文脈においてはさまざまな異なることを意味する可能性があるのです。

わたしが浮かび上がらせようとしてきた私見は――つづめて言いあらわそうとしてきた私見と言ってもかまいませんが――、ごく単純でわかりやすいけれども根本的なことです。すなわち、いかなる語もそれ単独では、それが良いか悪いか、正しいか不正確か、美しいか醜いか、その他書き手にとって重要なこと何であれ、判断しようにも判断のしようがないということです。そんなことはあまりにも明らかですから、いまさら言うのも気が引けるくらいです。ところがこれは、二百年間公式に――こういうことに関してなんらかの教理が教えこまれるかぎり――教えこまれてきた唯一の教理に、真っ向から逆らうことになるのです。つまり、《慣用法》の教理です。あらゆる語には正しいないし良い用法があり、文学的な長所とはそういう良い使い方をするところに存する、という教理のことです。

この教理には文句をつけることのできそうな点がいくつかあります――それは、多くの時代にわたって説かれてきたし、とくにわたしたちにとってなじみ深い、一八世紀中葉以降説かれてきた教理として受けとめられます。他の点では幸せだったあの世紀から現代まで受け継がれてきた最悪の遺産です。この教理の最良の表現は、ジョージ・キャンベル[★5]の『修辞学の哲学』に見いだすことができます——これ以外の多くの点では優れた本です。この教理の最悪ないし最悪に近い表現は、学校とりわけアメリカの学校を悩ましてきた《修辞学や作文の教本》のなかに、たいてい見つかります。その主張によれば、「良い用法とは、最良の書き手が示す万人向けの古びていない書き方である」というのです。文句をつけることができそうなのはこの「最良」という言葉です。そもそも、言葉を最良な仕方で使わないでどうして最良の書き手になれるでしょうか。わたしたちがそういう人を最良の書き手であると決めるのは、言葉を上手に使うと思ったからです。そういう人の言葉の使い方が正しくて「良い用法」だと決めるのは、言葉をそういうふうに使うのがその人だからではありません。原因と結果の取り違えのこれ以上ばかばかしい例は前代未聞です。まるで、リンゴが健康にいいのは賢明な人たちがそれを食べるからだ(原注)と言うみたいではありませんか。事実はあべこべだ——リンゴを食べるのはそれが健康にいいからであって、誰かがそれを食べるという事実がリンゴをいい食物にするわけではない——ということを認識していないわけです。

(原注)「から」という言葉がここで、「原因」から「理由」という意味に変動することによって、こ

の語にまつわるもっともやっかいな芸当をやって見せてくれていることは言うまでもありません。

しかし、わたしがこの教理に文句をつけたい主たる問題点はそんなことではなく、この教理が、語と語のあいだで生じている相互確定を無視し隠蔽しているということです。証拠として文例をひとつ二つお示しするほうがいいでしょう。さもないと、わたしがありもしない幽霊をでっち上げて、それを追い払うおまじないを唱えているだけだと思われるかもしれませんから。文例は『修辞学便覧』から採ることにします。この本には、ガーディナー氏、キットリッジ氏、アーノルド氏[★6]、三名の名前が共著者としてあげられています。それでわたしがこの本を選んだわけは、わたしがキットリッジ氏に敬意を寄せているので、その人が支持する教理にはそれだけ論駁する価値があると思われる、という理由からです。著者たちはこう書いています。「慣用法が言語を決定する。それ以外の基準はない。しかしながら、慣用法という語が意味しているのは、最良の書き手や話し手の慣行のことである。」（すでに疑問を呈したように、どんな基準でどの人が最良だと決めるつもりなのでしょうか。）著者たちはさらに「選択のための四つの偉大な一般原則、すなわち、〈正確さ〉、〈厳密さ〉、〈適切さ〉、および〈表現力〉」を考察しています。これらの原則が、彼らの言うところによれば、「良い慣用法からはみ出さないかぎりで、つねに慣用法の支配を受けながら、……言葉の選択においてわれわれを導いてくれる」のだそうです。そして正確さについてはこんなことを言っています。「正確さはあらゆる必要条件のなかでももっとも基本的である。語の意味は慣用法によって決まっている。もし語を不正確に使えば――つまり、普通その語に属していない意味で使えば――読者は発信者の考えを捉えそこねる。あるいは、推論や当てずっぽうで発信者の考えにたどりつくのが関の山となる。」

推論や当てずっぽう！　解釈とはまさにそういうものではありませんか。推論や当てずっぽうに頼らないで、どのようにして書き手や話し手の考えを理解すると考えられるのでしょうか。これこそ思うに、埋み火をかき立てるのに上から突っつくやり方の好例です。それだけでなく、お見せしなければならない重要な証拠がまだあるのです。わが著者たちの曰く「選択のための四つの偉大な原則を研究してみてわかるように、最初の原則（正確さ）だけが、正しいか誤っているかという問題に関わっている。他の諸原則は、より良いかより悪いかを見分ける問題を扱っている――つまり、あらわそうとしている考えや感情により近い適用のできる語を選ぼう、ということである。さらに言えば、われわれがひとつの単語に全神経を注いで吟味できるのは、第一の原則（正確さ）を扱う場合のみである。」

そら、きました！　これこそわたしが例示したかった見解です。「正しいか誤っているか」とか「より良いかより悪いか」などという表現の奇妙さに、恐れをなしてはいけません。あるいは、「ひとつの単語に全神経を注いで」吟味することにより、いったいどうしてその語の何かを決めることができるというのか――その綴りだけは決められるかもしれませんが！――、などと思い煩うこともありません。要点は、ここで、語がその［辞書的］意味を有するということが、ちょうど人間［＝意味］が名前［＝語］を有しているのと、語と意味の関係の逆になるとはいえ同じことで、他の助けをなんら借りることなく起きていると考えられているのです。そして語はその［辞書的］意味を、前後の語とは無関係に文のなかへ持ち込むと考えられているのです。これこそわたしが難詰している思い込みです。なぜなら、書いたり読んだりするときにこの原則を実践に移した結果を追跡調査し、それが解釈に与える影響を跡づけたら、言葉上の誤解が生じた例全体の少なからぬ部分がそこに見出されるはずだからです。

わたしはここでこの一節を解釈する際に、自分自身が思いがけなくもこの種の誤解を犯す実例になっていると思われないように気にしています。わたしはじゅうぶんにわきまえていますが、おそらく著者たちが念頭に置いているのは、ほんとうは「ingenuous（無邪気な）」と言うつもりで「ingenious（巧妙な）」と言ってしまったときのような不正確さのことでしょう。さらに、《慣用法教理》が妥当で無難であると思わせる受けとめ方もありうることは、わたしも承知しています。

この教理が言っていることで妥当と見なしうることのなかには、たとえば、わたしたちが言葉の使い方を学んでいるのは、言葉に反応することによって、また、他の人たちが言葉をどのように使っているかに注目することによってである、という点があります。ただし、そのような学び方がいかにしておこなわれているかというのは、深遠ながら探究可能な問題です。また、同様に妥当と見なしうる主張には、言葉の使い手のあいだにおおよその一致が見られることがコミュニケーションの成り立つ条件だという点もあります。そんなことを否定しようなどとは誰も思わないでしょう。しかし一致ということを考えてみると、一致には二種類あるとわかります。解釈の一般的過程における一致と、具体的な産出結果における一致です。みなさんもご存じの通り、一八世紀（今日の《慣用法教理》をもたらしてくれたあの世紀）の凡庸な批評家たち、ワーズワース[★7]があの《序文》を書いたときに念頭に置いていた人たちは、詩作品を作詩過程と混同し、詩が優れているのは詩的な言いまわし――昔の優れた詩人が使った言葉――を使っていて、その使い方も昔と同じだからだと考えていました。《慣用法教理》のおぞましい解釈にしたがえば、まさにそんなへまな考え方を、もっと広範にもっと危ういところまで拡げることになります。このおぞましい解釈があたりまえの解釈になっています。その弊害は、書き手の言葉にそなわる意味を、わたしたちがその作品を読む前から知っているものとして、つまり、モザイク制作のために張り合わされるばらばらの独立したテッセラみたいに、書き手が文の意味を築くために寄せ集めてこなければならない固定した要素である、と解される点にあります。じつはそれとは大違い、書き手の言葉の意味は、発語全体がはらむ解釈可能性の相互作用をくぐり抜けてこそはじめて到達する合力の産物なのです。簡単に言えば、わたしたちは推測を余儀なくされます。そして推測するなら、自分たちは推測していると自覚し、だから兆候を見逃さないように気をつけているときのほうが、自分たちは知っていると思っているときよりもずっとうまくできます（原注）。

（原注）この講義の末尾につけた《注》を参照してください。

以上述べたことすべてに、書き手のためにも読み手のためにもなる教訓がたくさん含まれていますが、わたしは解釈の話に絞っていきます。ある語や句は、それを制御する隣接語句から一時的にも切り離されると、見当外れの意味を勝手に増幅し、さらに他の語句の半分くらいをたぶらかしてそちらへ従わせます。しかも、少なくともこれと同程度に確かなこととして同様の事態が、意味以外の言語機能、たとえば感情に関しても起きます。これから、感情についての誤った解釈の一例をあげますが、それを他ならぬあの『修辞学便覧』からもってくるとしても、それは、有機的な解釈観とは対照的なモザイク式の解釈観や癖がよく陥る羽目を、この例が描き出してくれるからにほかなりません。

著者たちはベーコンの『学問の進歩』[★8]から次のような引用をしています。そしてこれを読み返すことによってわたしがみなさんにもおわかりいただきたいのは、ベーコンが学問の誤用についていて多少述べるにあたり、人間が誤用を好む理由とそうしてはいけない理由とをともに示して、一方の手で譲っているように見せているものを、他方の手でいかに巧妙に取り戻しているか、ということです。

しかし、他のどれよりも大きなあやまちは、知識の最後の、あるいは終極の目的を見誤り、あるいははきちがえることである。というのは、人びとが学問と知識を求めるようになるのは、ときとして自然な好奇心と探求の欲求からであり、ときとしてさまざまな喜びで心を楽しませるためであり、ときとして装飾と名声のためであり、またときとして知恵で勝って相手をやっつけることができるためであるが、しかしたいていは金もうけと生活の資のためであって、神から授かった理性を、人類の利益になり、役にたつよう、誠実に、りっぱに使うためであることはまれであって、人びとはまるで、知識のなかに、探し求めておちつかない精神を休ませるための寝椅子を求めているようでもあり、さまよい歩く移り気な精神が美しい景色を見ながらあちこちと歩くためのテラスを求めているようでもあり、高慢な精神がそのうえにのぼるための高い塔を求めているようでもあり、戦い争うための砦や展望のきく陣地を求めているようでもあり、利得や販売のための店を求めているようでもあるが、創造主を賛美し人間のみじめさを救うために、豊かな倉庫が求められているようではない。

ここには肝に銘じるべきことがたくさんあります——とくに《慣用法教理》の寝椅子性や、わたしも求めていると認めざるをえない塔性とか砦性などがそうです——だが、これについてあの著者たちが言うのは、次のようなことなのです。

この箇所におけるイメージの壮麗さは単なる飾りなどではない。これがなくては、学問に対する熱烈な称賛や、学問がときに付される卑しむべき用途に対するみごとな侮蔑の念を、ベーコンはじゅうぶん表現することができなかったかもしれない。同時にこの文彩はこの一節を、通常の散文から高貴な雄弁へ高めている。(三七二頁)

あの一節のイメージにどんな壮麗さがあるというのでしょう。これらのイメージには、ベーコンが使っているかぎりで壮麗さなどありません。ただ、痛烈なくらい効果的で、言わねばならないことを言うための簡潔な手段になっています。学問の有用性についての「熱烈な称賛」(わたしに言わせれば、ベーコンを汚す貧弱な表現です)や、卑しむべき用途に対する「みごとな侮蔑の念」が伝わるのは、切り離されたイメージが壮麗たりうる可能性にたぶらかされない場合のみです。イメージからそれが実際に担っている役目を少しでも切り離し、その「壮麗さ」がひとり歩きするのを許したら、すぐにベーコンの意図に逆らって暴れだします。というのも、テラスや塔や砦が頭脳のために「昇る」助けになってくれるものなら、最後の、あるいは終極の目的をはきちがえても、「神から授かった理性を、人類の利益になり、役にたつよう、誠実に、りっぱに使う」ことよりはるかに立派に見えることになるからです——テラスや塔や砦はただの豊かな倉庫よりも立派に見えるでしょうから。

　語同士相互の制御や相互確定のいくつかの型について、さらに話を進めましょう。これまでわたしは、文章に実際あらわれている語の影響力についてのみ考えてきました。だが、実際に発語されていず、背景をなしているにすぎない語を含めなければなりません。表現語、表象語、あるいは擬音語★9などさまざまな呼び方をされているものの場合を取り上げてみましょう――レナード・ブルームフィールド★10の言い方によれば、「どういうふうにしてでもとにかく、通常のことば形式よりももっと直接的に意味をまざまざと浮かび上がらせる」語のことです。例をあげれば、flip（はじく）、flap（はためく）、flop（バッタリ落ちる）、flitter（ひらひら動く）、flimmer（ちらちら動く）、flicker（ちらちらする）、flutter（ひらひらする）、flash（ピカッと光る）、flush（さっと流れる）、flare（パッと輝く）、glare（ギラギラ光る）、glitter（キラキラ光る）、glow（光る）、gloat（ほくそえむ）、glimmer（ちらちら光る）、bang（バンと鳴る）、bump（ドンとぶつかる）、lump（ズシンと音を立てる）、thump（ドシンと当たる）、thwack（バシッと打つ）、whack（ガーンとたたく）、sniff（クンクン嗅ぐ）、sniffle（鼻をすする）、snuff（鼻をフンフン言わせる）……これらの言葉が、使うときの意味にこれほど特殊な適合性、つまりぴったりした感じをそなえているのはなぜでしょうか。これらの言葉は意味することをただ模倣している、ないしその写しであるというのが通俗的見解です。しかしそれは、役に立たないことが多い短絡的理論です。だが、これより進んだましな見方に到達することもできると思います。ブルームフィールドが優れた著書『言語』で述べるには、「この点を説明するのは文法的構造の問題であり、話し手にはまるで、音が意味にとくにふさわしいように思える」というわけです。さらに話し手はふつう、語がぴったりしているように見えるのはその語がどこか意味に似ているからだと考えます。あるいは、それが説得力に欠けると思えたら、語と意味のあいだに何か直接的なつながりがあるにちがいないと考えます。もし意味に似ているのは語の音でないとしたら、その代わりに舌や唇の動きが、意味に関係した何かを模倣するのかもしれないなどというわけです。近頃では、サー・リチャード・パジェット[11]の模倣身振り理論が頼りにされそうな話です。

現代の言語学者[12]が——異なる言語で使われているきわめて異なる語をその意味ゆえに比較しつつ——音と意味とのこの類似について覚悟をもって言えるとするのはせいぜい、「明確さにいろいろの度合いがあり、また境界線上の疑わしい場合があるけれども、曖昧な意味をもつ、初頭位および末尾位の語根形成的形態素を区別することができる」ということでしかありません。こういう点についてブルームフィールドがいかに慎重な言い方をしているか、注目してください。

形態素とは何であるか、説明が必要でしょう。二つかそれ以上の語が、意味についても音についても何か共通のものを同時に有している場合に、それらは形態素を共有していると言われます。これらの語の特徴となる、意味論上および音韻論上一体となった単位が、形態素と呼ばれるものです。多くの語に認められる独特な音と独特の意味との共存性のことです。

したがって、flash（ピカッと光る）、flare（パッと輝く）、flame（燃え上がる）、flicker（ちらちらする）、flimmer（ちらちら動く）には、[fl-]という音とともに「動く光」という意味が共通してうかがえます――つまり、この共有されている特徴こそ形態素なのです。同様に、blare（鳴り響く）、flare（パッと輝く）、glare（ギラギラ光る）、stare（目立つ）には、[-ɛə]という音が共通してあり、また「大きな光か騒音」とでも言いましょうか、共通する意味もあるので、この音と意味の組合せが形態素です。同様に「なめらかに濡れている」と[sl-]の組合せが、slime（ぬるぬるする）、slip（滑る）、slush（ジャブジャブする）、slobber（べたべたする）、slide（滑る）、slither（ずるずる這う）に見られます。だが、pare（削り取る）、pear（梨）、pair（一対）は、共通する音を含んでいても、共通する意味がないので、共通の形態素を有していません。

もちろん、共通の形態素を有する一群の語が存在することは、他の語の形成に影響を与えます――他の語をその一群に同化しますから。したがって、skid（貨物滑らせ台）やskate（スケート）という語がある以上、形態素が強力な付加的理由となって、skee（スキー）は英語の通例に反する語形なのにskeeのままで、sheeとはならないのです。

この衒学的とも思える術語、形態素が有益なのは、そのおかげで、[sl-]という音自体がどういうわけか、「なめらかに濡れているか、滑りやすい」ようなものを意味するなどと言わないで済ませることができるし、この音を共有する一群の語が独特な意味をも共有しているということ以上は何も言わないでおく方途が得られるからです。そして言っていいことはそこまでしかありません。それ以上に話を進めて、これらの語が意味を共有するのは、この音を含んでいて、この音がその意味を有しているからだなどと言ったりしたら、わたしたちが知っている以上のこと――現に知っていることの根拠についての説明ないし理論――を持ち込むことになります。しかもそれは、ほんとうはまずい説明です。なぜなら、この音自体は何も意味しないからです。意味を有しているのは共有されている音ではなく、それぞれの語です。音自体は――flame、flare、flash、flicker の [fl-] のように――何も意味しないか、あるいは、blare、flare、glare、stare における [-ɛə] のように、それ自体としては、air（空気）つまり「人間が呼吸するもの」という見当違いな意味しか有していません。

ここに見られる理論的立場は詳しく検討してみる価値があります。なぜならそれは、とても広範に見受けられる立場の典型的な例だからです。そういう理論では、証拠を超えるところまで論が進められ、ほんとうは怪しげでせっかちで検証も経ていないような帰納的議論、すなわち、まずくて弁護の余地もないような推論の結論でしかないものが、あまりにも大胆、無邪気に、わかりやすい説明として、ほとんど所与であるかのごとくに想定されています。共通した音を有する一群の語が似たような意味を有するのは、音と意味のあいだになんらかの照応があるからではないか。これはもっともらしく思われます。しかし、この議論をもっとあからさまに述べ、証拠を注意深く調べてごらんなさい。そうしたらこれはいかがわしくなってきます。

というのも、そうしてみれば気づかざるをえないように、音は共有しているのに意味は共有していない語もあれば、意味は共有しているのに音は共有していない語もあると見えてきます。こうなるとおわかりでしょうが、流行とはそれを追いかける人たちの側の独特な趣味が無理なく表現されたものであると描き出すようなたぐいの議論が、言葉に応用されてきただけなのです。じっさいわたしたちは問題を逆さまに見てきたということに気づきます。つまり、音と意味とのあいだに認められる照応が、語同士でそれらが共有されることの説明になるどころか、共通の音と意味をそなえた一群の語が存在しているからこそ、そのような照応をわたしたちは信じるようになる、と説明しなければなりません。

このような状況は、ちょっと前に申し上げたとおり、典型的です。文学やレトリックの問題は、通常あらわされている形ではこのように逆さまになっていることがいかに多いことか、ほとんど測りかねるほどだとわたしは思います。たとえば、「美しい」とか「芸術」、あるいは「宗教」とか「善良」とかの語がきわめて多様な使われ方をしているというのに、すべての使い方に共通する何か、その語の基本的ないし本質的な意味とかその用途の説明とかになる何かが見つかるだろうなどという、ありふれた思い込みがあります。そこでわたしたちは頭を振り絞り、この共通の本質的意味を発見しようと努めますが、それを探すのに、たいていは薄弱で性急な帰納的議論の結果を突きまわしているだけだとは、思いもしないのです。同一の語は同一の意味を有するはずだし、有さなければならないなどというこの思い込みは、のさばっているあの思い込みのひとつであり、肝心なところで重なっていますが、それからわたしたちを守ってくれるのが、意味についてのコンテクスト定理なのです——いかにして守ってくれるかは、先週の講義でお話ししたとおりです。

ところで、ある語群は別の語群と切り離されても、その音を有するおかげで独自に、ある種の意味をそなえているにちがいないという、この相似た思い込みの話に戻りましょう。いかなる言語の音も表意される事物とのあいだに自然的な結びつきを保っていることなどありえないと言ったのはアリストテレスでした。そして問題を逆さまにしないで、考察する前に他の語を忘れないようにすれば、アリストテレスに同意せざるをえなくなります。はっきり言って、問いをきちんと立ててみれば、それは——明確に表現してみたら——ほとんど無意味になります。形態素のなかの意味論的な要素と音韻論的な要素とのあいだに、いかなる類似や自然的結びつきがあるなどと言えましょう。一方は音であり、他方は指示作用です。「[fl-] という音はほんとうに、[sl-] や [gl-] では見られないような工合に「動く光」に似ていますか。」そんな問いは、七面鳥の味はミントの味にはないような意味合いで成長に似ているか、などと問うのと似ていないでしょうか。

そこでわたしが下す結論としては、こういう表現語ないし表象語が独特のぴったりした感じを獲得しているわけは、心の奥でそれが、形態素を共有する他の語によって支えられているためだ、ということになります。これが当たっているとすれば、あらゆるたぐいの帰結がただちに明白となります。たとえば翻訳においては、別の言語に移し替えられた表現語は、かならずしももとの言葉と似た音にはなりません。翻訳のなかの表現語は、なんらかの類推を経ながら当該の言語中の他の語によって支えられた語になるでしょう。同様に明白なことですが、外国語の表現語の表現力を正しく評価するには、その意味をわきまえその音を賞翫するだけですませるわけにいきません。心の奥で、その言語のなかでその語と形態素を共有している他の語を踏まえているかどうか、という問題になります。したがって、その言語にほんとうに幅広く親しんでいる者でなければ、外国語における表現語の特性を正しく評価できるはずもありません。そういう条件を欠きながら表現語を訳そうとすれば、珍妙な結果を招くだけです。

ある語は、発せられもせず念頭に置かれてもいない他の語によって支えられているとすることの見方は、敷衍されうるし、敷衍されるべきだとわたしは思います。敷衍されてまず捉えられるのは、音は似ているけれども形態素は共有していない語、つまり、なんらかの関連性のある意味を有しているものの共通の意味は有していない語です。たとえばblare（鳴り響く）、scare（こわがらせる）、dare（挑む）は形態素を共有していませんが、ときにはblareの独特の力が、部分的に他の語からの支援を受けて発揮されることになってもおかしくないでしょう。これは、ルイス・キャロルがジャバウォックの詩[★13]で使っていた原理を、もっと大きく拡げた規模で認めているだけのことです。これが押韻や類韻の理論に関連していることは一目瞭然です。

もうひとつの、さらに広い範囲に及ぶ敷衍によって視野に入ってくるのは、部分的に音が似ている語から受ける影響だけでなく、部分的に重なる意味を有する他の語から受ける影響もあります。たとえば、実際に使った言葉の代わりに使えたかもしれない言葉や、それにともなって、それを使わなかった理由から受ける影響のことです。もうひとつの同様な敷衍は、あまりにもあっさり「同じ語」と呼ばれているものが、別のコンテクストで別の使われ方をされている場合にも及びます。語の意味は、それが持ち込むもののなかに宿るのと変わらぬくらい、それが排除するもの、あるいは遠ざけるもののなかに宿る場合もあります。また別の場合は、部分的に並行する別の用法から意味があらわれますが、その関連性は、必ずしも明示的に述べることができなくても感じられるものです。しかし、この最後の例におけるほど視野を広げてしまっては、語の力の所以を、すなわち、他の語では、この語ほどうまく意味を伝えることも、この語の代役になることも、どうしてもできないはずだという感じ方の所以を説明しようとすれば、この語を除いた言語全体を引っ張り込んでしまう危険に瀕すると思われるかもしれません。でも、これくらいのことを結論として申し上げても、はばかる必要はなさそうです。ほんとうに熟達した言語使用——学術的な言述ではない自由闊達な言語使用——は、たとえばシェイクスピアの英語の使い方のように、言語をまるごと使う域に達しそうなほど深遠です。

クレオパトラ[★14]はコブラを手に取り、それに向かって次のように言います。

さ、ちっちゃな殺し（mortal）屋、

お前の鋭い牙でこのもつれた（intrinsicate）命の結び目（knot）を
ひと思いに噛み切って。かわいい毒殺屋さん、
怒りなさい、そしてさっさと片づけて。

mortalという語の、「死をもたらす」以外のいくつの意味がここにこめられているか、考えてみてください。「わたしは不死の（immortal）あこがれを抱いている」という表現と比べてみてください。knotという語を考えてみてください。「命の結び目」と言われています。「ほぐされるべき何か」、「ほぐされるまでわれわれを悩ます何か」、「あらゆるまとまりが保たれる拠り所たる何か」、「あらゆる意味の結節点」などといった意味が関連してきます。同音異義語である否定辞（not）がここにこめられているか、疑わしいと思われるかもしれませんが、わたしはこめられていると思います。それにしても、「結び目」とつなげられているintrinsicateという語を考えてみてください。エドワード・ダウデン[15]は、シェイクスピアをなるべく単純にしようとした当時の流行に従って、intrinsicateのここでの意味をintricate（複雑な）、と解釈しています。また『オックスフォード英語辞典』も、悲しいかな、同様に解釈しています。だがシェイクスピアはこの語に、intrinsic（内在的）や、intrinse（強烈な）に由来する半ダースばかりの意味をまとめています。すなわち、familiar（なじみのある）、intimate（親密な）、secret（秘めたる）、private（私的な）、innermost（最深部の）、essential（本質的な）、that which constitutes the very nature and being of a thing（物事の本質や存在そのものを構成するもの）、等――つまり、intricate（複雑な）や、involved（込み入った）という意味だけでなく、この語がその時代に担っていた医学的および哲学的な意味すべてに関わっています。この語の意味は、以上の意味のどれかひとつによって言い尽くせませんし、その力は、以上の意味すべてやそれを上回る源泉に由来しています。わたしの手の動きがほぼ全身の骨格筋を使ってなされ、またそれに支えられているように、一個の語句は、他のコンテクストにおける他の語の用法を支える巨大な体系から力を得ているかもしれないのです。

《注》

ほかならぬ usage（慣用法）という語が、都合のいいことに、意味の変動のやっかいな例いくつかを見せてくれます。改良版《レトリック》は、そういう変動を制御することも狙っています。次に掲げる usage の意味をいくつか並べた一覧表は、わたしたちが誤解をしないようにするための助けになるかもしれません。

（一）もっとも包括的な意味は、「あらゆる状況において、他のいかなる語とも協働しながら、コミュニケーションの道具として語がふるうことのできる力の全領域」ということです。（この意味では、疑いもなく usage が、しかも usage のみが言語を支配しています。）

（二）「ある限定された範囲の状況において、ある限定された型の文脈にともない、語が通常ふるうなんらかの特定な力」。

（これは use（語法）、ないし sense（意味）、と呼ばれることが多く、《辞書》が、同様の特定の力を有する他の語や語句や文を示すことにより、その定義として記録しようとしているものです。）

（三）（二）の具体例のことで、たとえばシェイクスピアの一節に関して、語が特定の力を有しうると明らかにするために、根拠にされたりします。

（四）固定された「固有の」意味として想定されたもののことで、それから語が外れてはならない意味（語がそれ自体として有する意味）のこと。この見方は、言語の働きについての過度の単純化や誤解を通じて（一）（二）（三）から派生します。誤解とは、典型的には文の意味を、文を構成する語の分離独立した意味から組み上げられているものと解することに根ざしています――実際はあべこべであって、語の意味はそれを含む文の意味から派生している、とは認識していないのです。この誤解は、語の意味が決定される過程を、その綴りが決定される過程といっしょくたにし、誤った解釈の大部分が生じる発端となっています。

★1　アリストテレス『詩学』には、「文」について「文（ロゴス）とは、ある意味をもつ、合成された音声であり、その構成部分のあるものがそれだけでなんらかの意味をもつものである」と述べられている。引用は松本仁助・岡道男訳『アリストテレース「詩学」・ホラーティウス「詩論」』(岩波文庫、一九九七年)、七七頁。

★2 「文法 (grammar)」の語源はラテン語の「文字 (gramma)」であり、これはさらにギリシャ語にまで遡る。

★3 英語では"A cat is on the mat"であり、"A cat"で始まり、"mat"で終わる。

★4 『アントニーとクレオパトラ』五幕二場三四七〜九行。引用は松岡和子訳『アントニーとクレオパトラ』(シェイクスピア全集二一、ちくま文庫、二〇一一年)、二七三頁。

★5 スコットランド啓蒙主義に連なる哲学者、聖職者(一七一九〜一七九六)。『修辞学の哲学 (*Philosophy of Rhetoric*)』は一七七六年に刊行された著書。

★6 ジョン・ヘイズ・ガーディナー(一八六三〜一九一三)はハーヴァード大学教授で英語教育者。ジョージ・ライマン・キットリッジ(一八六〇〜一九四一)はハーヴァード大学教授でシェイクスピアや中世英文学の権威。サラ・ルイーズ・アーノルド(一八五九〜一九四三)は児童文学者、文学教育者。三名による共著の正確なタイトルは『作文・修辞学便覧 (*Manual of Composition and Rhetoric*)』で一九〇七年刊。

★7 ウィリアム・ワーズワース(一七七〇〜一八五〇)は英国ロマン派詩人。友人コールリッジと共同で『抒情民謡集 (*Lyrical Ballads*)』(一七九八年)を発表し、ロマン主義を運動として立ち上げたと見なされる。『抒情民謡集』第二版(一八〇〇年)に掲載されたワーズワースの「序文」は、詩の題材と言葉を庶民の日常生活から採らねばならないと主張した。

★8 ベーコンが一六〇五年に刊行したエッセイ。引用は服部英次郎・多田英次訳『学問の進歩 (*The Advancement of our Learning*)』(岩波文庫、昭和四九年刊)、六七〜六八頁。

★9 英語学で「音声象徴 (sound symbolism)」と呼ばれる現象をともなう語のこと。

★10　米国の言語学者（一八八七〜一九四九）。構造主義言語学の主導者、『言語（*Language*）』（一九三三年）はその主著。引用は三宅鴻ほか訳『言語』（大修館書店、一九八七年）、二〇二頁。

★11　英国の弁護士、アマチュア科学者（一八六九〜一九五五）。唇や舌の動きを重視する音声言語起源論に基づき、パジェット＝ゴーマン手話システムを発明した。

★12　ブルームフィールドのことで、以下の引用は前掲三宅ほか訳『言語』、三二四頁。

★13　英国の作家ルイス・キャロル（本名チャールズ・ラトウィジ・ドジソン）（一八三二〜九八）の『鏡の国のアリス（*Through the Looking-Glass*）』（一八七一年）にあらわれるナンセンス詩。叙事詩のパロディーで、ジャバウォックという怪獣が退治される物語のなかに、別の語を想起させる音韻をそなえた造語が頻出する。

★14　以下のクレオパトラの台詞からの引用は、前掲松岡訳『アントニーとクレオパトラ』五幕二場、二六九頁。

★15　アイルランドの文芸評論家、シェイクスピア学者（一八四三〜一九一三）。

第4講　語に対するいくつかの評価規準

この広大な捉えがたい秩序のなかで多くの差し迫った驚異にさらされているために、どうしてもちょっと軽薄になることを免れることのできないこれらのおつむや心に、言い換えればみなさんのお仲間の誰かにでも、音調に対する注意を怠らないという重要な責務をすっかりまかせてしまうなどというのは、とんでもないことです。

——ヘンリー・ジェイムズ『わたしたちの言葉の問題』

先週わたしは、言述における語同士の相互依存および相互確定に関してお話ししました。最初に因襲的な《慣用法教理》を糾弾することから始めましたね。あの教理を難詰したのは、語はつねに発語という有機体の協働的要素であることが忘れられているからでした。それゆえ、語にそれ自体の意味とか、固定した正しい用法とか、あるいは、限られた少数の正しい用法すらも、あるなどと考えるのは、適切ではありません。「慣用法」という言葉で、その語が他の語と成功裡に協働する仕方全体、つまり、その語が他の語の助けを得て発揮することのできるさまざまな力の領域全体を意味しようというのでないかぎり、難詰せざるをえません。従来の《慣用法教理》は、言語をモザイクと見なすまずい類比に立っている、そして作文や解釈を、まるで固定した形や色を有する小片を組み合わせたり分解したりする作業であるかのごとくに考えている、とわたしは申し上げました。ところが実際は、語の意味の相互確定は、少なくとも他のいかなる形態の精神活動にも劣らぬくらいに秀逸なのです。楽句のなかのひとつの音符は、それを取り巻く他の音符からその特徴を受けとり、また、他の音符と共存していなければ曲に貢献することもありません。見える色彩は、視界のなかでそれと共存する他の色彩との関連でその色彩になるだけです。ある物体の目測される寸法や距離は、それと共に見える他の物体との関連においてのみ解釈されています。知覚のあらゆる分野でこの相互確定（あるいは、ベルクソン[★1]のかつての言い方に従えば、相互浸透）が見られます。言葉に関しても同様ですが、ただし、他の分野よりもさらに顕著です。ある語に見出される意味は、それと共にあらわれる他の語の意味との関連でのみその意味になるのです。そして講義の終りのほうでわたしは、この見方を敷衍して、当該の語と共に発せられた他の複数の語だけでなく、発せられていない語もまた含めなければならないと申し上げました。そういう語は発せられていなくても、当該の語とさまざまな関係を保ちながら、わたしたちの思いもよらぬことにその語を支えているかもしれないからです。同様に、事物の寸法や形や距離を知覚するにあたってわたしたちは、歩いてそれに近づくとか、それを手に取ってみるとか、いろいろな行動をして──まさかそのためにそうしているなどとは考えもせず、解釈を誘導しているのです。相互確定（interinanimation）に「相互（inter）」が含まれているという語源分析がここでもまた手がかりになって、事情の全容が明らかになります。

わたしたちが通常、語の長所や短所を判定すると称するときに用いる規準ないし目安についての議論に進む前に、わたしはここで、この見方を支持し裏づける二、三の考察に触れておきたいと思います。みなさんにもおわかりいただけたらいいのですが、そういう規準──「厳密」、「撥剌」、「表現の豊かさ」、「明晰」、「美」などが代表例──も、それによって判断される対象となる語がいま述べたような相互依存の状態にあることをきちんと認識し、語を取り出してきて孤立させた状態でその意味を吟味しようとする習慣に油断なく警戒を払いながら用いないと、誤解を招くだけで研究の役にたちません。孤立させるなどということはもちろん、完全にはできません。完全に孤立させられた語は無意味になるでしょう。語を切り離そうとするときに用いられるのは、標準的ということになっている状況、つまり、代表的と思い込まれて想像されただけの図式的コンテクストです。そしてこのような（「一般的な用例にあるように」、「通常の言述では」、「普通の語法で」等々の言い方に見られる）、充てがわれて検証も受けていないコンテクストに頼る習慣をこそ、わたしは難詰しているのです。この習慣はあまりにも強く、これをきっぱりと、あるいはいつまでも断ちきれる人はいません。意味が本来的に語に付随しているという見方――および、同趣旨のもっと工夫を凝らした見方――は、妖術の一派であり、名前をめぐる魔法的理論の遺物です。そしてわたしの経験では、断固と決意して努力しても、この習慣からときたまほんの短時間免れるぐらいしかできません。したがって、この習慣を捨てるようにみなさんに奨励しつつもわたしは、一八六一年にカサリス[★2]が報告書に述べているバスート族長と同じ立場に立たされているように感じます。族長は部族の者たちを集めて、言語とは違うもうひとつの妖術にだまされないように警告したのですが、そのときこのバスート族長は――明らかに、部族民を説得しようとしていたのと同じくらい自分自身を説得しようとして――こう言いました。「妖術はそれを語る者の口先にしか存在していない。意志の力だけで人間を殺すなんてことは、死者から人間を甦らせるのと同じで、人間にできることではない。それがわたしの意見だ。とはいえ、みなさんのなかにいる妖術師の方々、そんな意見を口にするわたしに妖術をかけてやると思っても、手加減する気持は忘れないでくださいよ！」

というわけでわたしは、語は、発せられたり充てがわれたりした他の語からなる土台に据えられなくては意味を持ちえない、それは、色彩を有する一片の物体が背景なしには寸法も距離もわからないのと変わらないと、頭では納得し、みなさんを説得していながら、そのくせ、人間の振る舞いがそれで変わるとは期待していません。事実に反しながらもこれまで受け入れられてきたあの思い込みの、習慣になってしまった影響力は強すぎます。せいぜい望めるのは、あんな思い込みに頼るのを手加減することぐらいは覚えられるかもしれないということです。

この思い込みの悪影響がもっともどぎつくあらわになるのは、一般人も関心をもつ理論的論題をめぐる議論がいつも帰着する抽象的な語にまつわる場合です。科学以外の分野——政治、社会、人間の行為について、あるいは科学そのものについてわたしたちが語るときの用語、あるいは心理学を含む哲学の全分野、芸術、文学、言語、真理、美、善などに関する議論すべてにおいてわたしたちが使う主な用語は、文のなかに取り込まれるにつれ、また、コンテクストを帯びるにつれ、その意味を絶えず変えていきます。わたしたち誰しも、そういう変化が起きていると感じるだけの心構えはもっています。自分の語り方について認めるのは無理でも、少なくとも他人の語り方についてはそれを感じています。そしてさらに、意味の変動にこそ、このような分野に——一時的な流行があらわれることを別にすれば——不思議にもほとんど進歩が見られないという嘆かわしい事実の主な原因がある、と認める心構えもできています。しかし、人を惑わせるこのような意味の変動がどのくらい広い範囲で起きているのかということだけでなく、いかなる仕組みで起きているのかということも、わたしが難詰しているあの思い込みのために隠され見えなくなっているのです。そのためわたしたちは、意味の変動が言述における長所であるどころか欠陥であり、遺憾な事故であると思わされています。それゆえに、意味の変動の仕組みについての研究を怠るわけです。

思い込みは、人びとが認め合意し守るべき固有の意味が、語にはあるしあるべきだとする点にあります。それが可能なら悪くない取り決めでしょう。だが、科学の専門的言語の外では、それは成り立ちません。というのも、一般人が興味を寄せる議論に関連する論題では、述べてきたように、語が意味を変動させなければならないからです。そういう変動がなかったら、わたしたちが到達するような共同の理解は、分野を狭く限った範囲内においてすら立ちゆかなくなるでしょう。言語は、その柔軟性とともに精妙さを失ったら、その有用性も失うでしょう。

打開策は、そういう変動に抵抗するのではなく、それをたどれるようになることにあります。変動は異なる語に同じ形で再生起します。似たような仕組みや共通の型があり、わたしたちは経験を通じてこれらを観察し、実際においてこれらに準拠することができるように学んでいけます――ときには巧みにやすやすとやってのけるので、吟味してみて驚嘆に値すると思えるくらいです。系統的に研究していけばやがてわたしたちは、これらの体系的曖昧さや転移の型を比較し記述し説明することができるようになり、それはたとえば、現代の化学の知識水準がベーコンの予見した水準を凌駕しているのと同じくらい、現代の《辞書編纂技術》を凌駕する水準まで達するようになる、そう期待しても理屈に合わないことではないかもしれません。現在でも、わたしたちがほんのわずかに垣間見ている変動のごく一部さえも系統的に認識しえたなら、その効果は、たまたまわずかばかりの足し算の仕方しか知らずに計算している人に、かけ算の九九の表を教えてあげるのと変わらないでしょう。そしてこの種の究明とともに、また、このように技巧を了解に変換する操作とともに、人類の理解力や思考の協働にとっての新時代が近づいてくるでしょう。これに向けて小さからぬ一歩をただちに踏み出すのも難しくないはずです。妨げになっているのは、主としてあの《固有の意味に対する迷信》であり、硬直性がふさわしくない当の分野で、ますます硬直になる方向めざしてあの迷信が働き続けていることです。

これらの変動がわたしたちをもっとも欺くのは、それが抽象的な語に生じている場合です。なぜならその場合は、変動をたどるのがもっとも難しいからです。しかし変動は、単純で具体的と思われる語に関しても、抽象語に劣らず大いに、また多様に生じています。これらの語については、その変動がたいていとても容易にたどれるので、なんの変動も起きていないと思われるかもしれません。たとえば「本 (book)」という語に悩まされる人はいません。しかしながら、雑誌や定期刊行物と区別される場合の「本」という語の用法を、英国の大多数の話し手が(なんなら無教養な連中と呼んでもかまいませんが)、週刊誌を本と称している用法と比べてみてください。あるいは、以下の例における「本」の意味を比較してみてください。「それは恐ろしく部厚な一巻だが、本とは言えない。」「あの人は自分の本のことで頭がいっぱいだ。」「本を書く。」「本を製本する。」「本を印刷する。」「カタログの本の配置を並べかえる。」これら各例で「本」の意味は変動しています。ときにはたがいに両立しがたいところまで変動しています。たとえば、わたしがいまこの講演をもとに作ろうとしている本は、誰にもけっして製本できません。印刷されるものや製本されるものは、わたしがいま取り組んでいるもの（一組の観念）とは、明白な仕方でたがいにつながっているのは言うまでもないとしても、まったく異なります。

こういう変動は、慣れ親しんでいるので難なくたどれます。思惟に用いられ、さんざんいじくりまわされたもっと抽象的な語の意味の変動には、わたしたちはまだ慣れていません。やがてこれにも単純な語と同じくらい慣れることができれば、それは知的向上のために望ましく、その大きな足がかりになります。言わせていただければ、それこそ言葉の高等教育の根本をなす狙いであり、弁明です。そうでなければこの教育は、正当化するのがしばしば困難です。そして「そんなものにわたしたちはなぜ頭を煩わせなければならないのか」という、あのやっかいな質問に対する最良の答えは、それによってわたしたちは自分や他の人たちが考えていることを、もっとうまく見つけることができるようになるかもしれないからだ、ということになります。

前回の講義の終わりのほうでわたしは、語が意味をもつようになるのは通例、わたしたちが思いもしないような他の語が、心の奥で語を制御するために協働していることから生じる影響を通じてである、と示唆しました。そして最後に、偉大な書き手はたったひとつの語句を、言語のなかのさまざまな多くの要素とともに働かせたり、それらに対置させたりすることによって、目的を達することが少なくないと申し上げました。これが真理であれば、《固有な用法に対する迷信》への追加的反論になることは言うまでもありません。単独の語については、ダン[★3]が単独の文について次のように言ったのと同じことが言えます。「聖書のなかの文はウマのしっぽの毛と同じで、美しく力強いひとつの根からいっしょにまとまって生えている。しかし、一本一本引き抜かれたら、発条か罠の材料になるだけだ。」わたしたちは、言語に付け加えられたばかりの新語を判断したくなるときに、一語一語引き抜いてしまいそうになることにとくに気をつけなければなりません。というのも、そういう語は他よりももっと容易に引き離されやすく、その語を含む潜在的ないし随伴的なコンテクストも比較的少ないからです。新語に対する好悪の説明としてつい言い立てたくなる理由ほど、語の選択に関するわたしたちの考え方をあらわにするものはなく、慣用法教理のしぶとさをこれほどみごとに暴き立てるものはありません。現代の言語は、エリザベス朝時代以降どの時代よりももっと、急速で多様性に富んだ成長をしています。推計によれば近年は、英語を話す諸国民のなかでイングランドに住んでいる保守的な階層にとってさえ、広く使われるようになる新語が年に三〇語も生まれるのだそうです。商工業や科学の専門用語は別にしてこうなのです。そのうちの大部分はアメリカから大西洋を越えてきました。そして公平を欠かないように言うべきだろうと思いますが、そのなかにはイングランドで心から歓迎された語もたくさんありました。

　しかし、新語がつねに歓迎されるとは限りませんし、歓迎されるのがふつうであるとさえ言えません。新語について自分が評価を下す際に明確な理由を示せると公言するような、うるさ型の少数者たちに歓迎されないのは確かです。新語は不平をかき立てるのが通例ですし、そういう不平のなかには、言語について現在流布している思い込みに興味深い光を当ててくれるがゆえに、研究に値するものもあります。

まず、もっともよく耳にする不平を取り上げてみましょう。科学のなかで造り出された新語——科学的用法から広がって一般に通用するようになった新語に対する不平です。不平は通例、そんな新語は発音がぎこちなく困難だ、長すぎるとか、それは符丁ではなく凝縮された記述か説明だ、などというものです。偏見はときにはきわめて強くなり、辞書編纂者さえこれに屈することがあります。たとえば、二巻本の『ショーター・オックスフォード・ディクショナリー』には、ユング[4]的な意味の extraversion, extravert（外向性）という語も、introversion, introvert（内向性）という語も見つかりません——さんざんやりとりされている会話のなかでこれらの語が不可欠になっているのにです。

さて、このような不平は結局、何を問題にしているのでしょうか。いかなるたぐいの問題が成り立ちうるでしょうか。まず、ぎこちなさについてです——どう発音すればいいのかよくわからないという問題です。たとえば、epistemology（認識論）という語のアクセントはどこにあるかということです。サー・ジェイムズ・マリー[5]は、『オックスフォード英語辞典』《序文》でこんなことを書いています。何度か経験したこととして、「ある語を造語した人に直接問い合わせて、その人がどう発音しているのか、どう発音させるつもりなのか、訊いた」ところが、受けとった回答は、「発音のことなんか考えたこともないし、どう発音すべきかなどと僭越なことを言うつもりもなく、人びとにお任せして好きなように発音してもらいたい、あるいは辞書にお任せして何が正しい発音か決めてもらいたい」というものだったそうです。

サー・ジェイムズがもらしている不平は、そんなやり方が話し言葉を優先するという不動の順序を逆転させることになる、という点にありました。しかし、面食らった造語作者のほうが正しかったことは確実です。ほかならぬ自分の頭からひねり出された用法なのに、そんな用法を信用するほど造語作者は愚かでなかったのです！　語の良し悪しには別の標準があるとわきまえていました。ある語がいかに発音されるべきかというのは、少なくとも部分的には、その言語のなかで他の語がいかに発音されているかということに照らし合わされるべき問題です。そしてそれは辞書編纂者のなすべき仕事であって、哲学者や心理学者の仕事ではありません。だが不幸なことに、ときには辞書編纂者自身が——以上のような発音の問題だけでなく、解釈の問題に関しても——、お粗末な慣用法理論の呪縛にあまりにもとらわれています。責任の大きさにたじろいで、定着している発音の音韻的記録を作る課題に取り組むか、《仲良しクラブ根性》というレッテルを貼ってやれそうな、種々の慣用法教理への追随という隠れ家に引きこもるかするだけなのです。

これは慣用法教理の重要な働き方です。その本質は、言語の使用法を作法に従わせることにあります——特殊な集団をなす話し手の作法にです。ある種の集団をなす《仲良しクラブ》に所属したら、そのことによって、そのなかにいるあいだは一定の振る舞い方をするという契約に服することになります——いやむしろ、他の一定の振る舞い方をしないという契約です。たいていの場合と同様、そこで何をしないかということを言うほうが、何をするかを言うよりもはるかに容易だからです。同じことですが、言語を使うことは、多かれ少なかれえり抜きの仲間に加わることです——その言語の正しい使い手の仲間です。その慣習から外れることは間違ったことであり、そういうものとしての社会的制裁に見舞われます。そしてこの場合に、やらかしてしまった逸脱が仲間の慣習よりもましだったのか、もっと悪かったのか、検討されることはありません。違うというだけで弾劾される、それでじゅうぶんなのです。

慣用法によるこの特殊な形態の制御、あらゆる言語に対するこの社会的ないしスノッブ的な制御は、言うまでもなくとても広く行きわたり、厳格です。改良版《レトリック》のひとつの責務は、これに疑義を唱えることにあります。発音に関してであろうと、意味や解釈の問題に関してであろうと見逃しません。さしあたっては発音について述べてきましたが、発音について申し上げているのと同様なことが言語の全領域にわたって言えますし、意味の変異や特殊化にも当てはまると主張したいのです。かくして、大西洋を越えたこちらのみなさんが「失礼（I beg your pardon!）」と言うようなときに、イギリス人に「ごめんなさい（I'm sorry!）」と言わせたのは、イングランドにおける《仲良しクラブ根性》のなせる業でした。《仲良しクラブ根性》を捨ててしまえば、みなさん方が使う語句のほうがよいかもしれません。大事なこととつまらないことを混同する危険が少ないですから。《仲良しクラブ根性支配》の有用性に疑義を唱える効果は、思うに、きわめて強烈でしょう。これに疑義を唱える理由は、この支配自体が社会的なので、やはり社会的なものになります。昔はこのようなスノッブによる制御が、仲良しクラブの成員だけでなく社会全体にとっても有益だった、と信じることにわたしは吝かではありません。いまでもクラブ外部の市民に対する優越感をもたらしてくれるので、クラブの成員にとっては有益でしょうが。階級戦争における武器としてこのように言葉の違いを利用するやり方は、英国人から見ると、重要な観点いくつかに照らして一七世紀まで遡ります。シェイクスピアの時代にはおそらく、話し言葉の違いは、いまほど非難がましくなくもっとユーモアを湛えた見方をされていたように思われます。他人をさげすまなければならない必要がそれほどありませんでした。社会の新たな階層化が生じてきたからこそ、一八世紀初頭から、発音や表現の優雅さが、紳士とその従者、淑女と洋裁師を区別するもっとも確実な差異化を産み出すと認められはじめたのです。綴り字の一律化をめざす新たな努力は、これと同じ変化のもうひとつのあらわれです。またその当時には、(この《仲良しクラブ根性》に見合った意味での)正しさへの執着が、文法書を売り込む商売人たちの強迫観念になりました――自分たちが本物の紳士であることをはっきり見せつけるにはいかにするべきかについて、新しい紳士階級に教授すると謳った者たち(スティール[★6]はそのひとり)の強迫観念でもあったのです。

以上は《仲良しクラブ根性支配》の不面目な一面です。しかし有意義な面もあります。一八世紀において――教育を受けた者が比較的少なく、授けられる教育も相対的に一様だった時代でしたが――この種の正しさは、もっと深い意味の教養を垣間見せるために頼りになる手がかりを、多少とも与えてくれたのです。今日では教育を受ける人びとの比率ははるかに高く、人数は当時の一〇倍にものぼります。そしてさらに重要なことに、人文系の教育はもはや一様でなくなりました。いまや人文学の定義を求められたら、「メトロポリタン・ミュージアムかブリティッシュ・ミュージアムに収められているものなら何であれ、それになんらかの関わりがあるもの」とでも答えざるをえないでしょう。そしてそれとともに、《仲良しクラブ根性支配》も、話し方が正しいにせよ正しくないにせよ、約束事に従っているにせよ従っていないにせよ、話し手たちの教養の深さに関して何か重要なことを保証してくれるわけでなくなりました。

それでもやはりこの支配が強いことに変わりありません。ひょっとしたら、多くの大学における講義の存在理由はおおかた、受講者がイタリアの画家やギリシャ劇ヒロインの名前の発音の仕方を覚えるように保証する点にあるかもしれません。古典の散文訳をいくら読んだところで、サロームとかペニロープとかハーミーオーン[★7]などと発音する、ぞっとするような危険を免れさせてくれないでしょう。わたしには、マンチェスター出身の見上げた若き独学者についてのいい思い出があります。彼はわたしの部屋に飛び込んでくるなり、休暇中に「ダントとゴースにめっちゃはまっちゃいました」と、すっかり舞い上がった調子でのたまったものです。もし彼がほんとうはダンテとゲーテを読んできたのだとわかっていたら、もう少しまともに裨益していただろうとは、わたしは思いません。

こんな《仲良しクラブ根性》違反の話はもうたくさんでしょう。新しい科学用語に対する不平の話に戻りましょう。「簡明さと発音のしやすさ」が新しく造られる語の長所になる、とジェレミー・ベンサムは言いました。自身が、たとえば隠喩の分析におけるキーワードとして――この分析の進歩のために彼は大きな貢献をしたのですが――、archetypation（原型化）とかphraseoplerosis（言い換え）などといった語を造った人間が言ったにしては、おかしな教理です。それぞれの語は、意味の変動が生じる基盤の発見や、その基盤を表象する語句の補充をあらわしています。それにしても、長所としての簡明さはどこに行ってしまったのでしょう。「他の条件が同じなら」というあの便利な言葉を付加してあの教理を弛めてはいけないでしょうか。だが、それなら、言葉に関しては、他の条件が同じということはないし、長ったらしいのも（限度内ではあれ）語の長所になりうることが少なくないということに、誰もが同意することにならないでしょうか。とくに、このような科学的な語に関してよくあるように、これらの語が伝えなければならない意味が複雑である場合は、そうなるのではないでしょうか。多くの科学用語が科学的に見えて、それがある体系に属し、わたしたちが斟酌しなければならない仮説に依存していることを忘れさせない形になっているのは、利点です。そこで浮かび上がってくるのは、こういう言葉（たとえばintroversionやextraversion）がたいてい説明であって符丁になっていないという、あのもうひとつの不平に対する回答です。慣れ親しんだものごとに対して必要とされるのは符丁であって記述ではない、とはよく言われます。そのとおり！　ほんとうに慣れ親しんだものごとならそうでしょう。しかし、ほんとうに慣れ親しんでいない場合に単なる符丁――何につけられているのかを匂わせもしない符丁――を使うことの危険性は、ほとんど指摘する必要もないでしょう。

もうひとつの型の不平の話に進みます――これらの語はそれ自体としてやっかいで醜いという不平です。mind（心）とか thought（想念）とかの古き良き語がすっきり、簡明、麗しいのに、psychology（心理学あるいは心理）などという語はやっかいで不愉快だと力説されているのを、わたしは見たことがあります――しかも並ならぬ大家によってです。これはどれほど妥当な不平なのでしょうか。また、それは語の形に対する不平なのでしょうか。それとも、それのいくつかの使われ方に対する不平なのでしょうか。psychology の派生的な用法のなかには――不都合なくらい、また不必要なほど曖昧だから――好ましくないものもあると認めましょう。たとえば、誰かが「シェイクスピアの psychology」についてしつこく語ったり書いたりしながら、この語によって何を意味しているのかわたしたちにはわからないままであるような場合です。これは（一）心についてシェイクスピアが抱いていたなんらかの理論のことか、（二）精神の動き方についてシェイクスピアが無意識のうちに立てていた仮説のことか、（三）シェイクスピア作品からわたしたちがたどりうる精神の動き方についての推定のことか、あるいは（これ以上の可能性を並べるのはもうやめにしますが）（四）単にシェイクスピア自身の心の動き方のことなのか、わかりません。この語のこういう途方もない変転は典型的であり、遺憾なことです。こういう変転が言述を危殆にさらすし、この種の言語を多用すれば、語り手や書き手の信用が落ちるのもあたりまえです。しかし、psychology がそんなふうに使われているからといって、この語が心の動き方に関する理論的研究をあらわす意味で使われているときや、コンテクストによって支えられている場で派生的に使われているときの用法に不平を言う根拠にはなりません。「シェイクスピアの psychology」という語句に対する不平は、じつはコンテクストによる制御が不十分であることから生じているのです。そしてこの語の制御された用法にとっては――心理や心理学がいかにやっかいな主題であるかを視野に入れれば――、語のやっかいさこそかえって取り柄になると言っていいでしょう。

しかしながらこのような語は、多くの人たちにとって、最良の用法においてさえ好ましくない用法との連想によって汚染されているのかもしれません。これはよくあることです――とりわけ新語についてはそうです――そして教訓を含んでいます。例として colorful（多彩な）をあげてもいいでしょう。この語に対する激しい嫌悪感が、tasteful（趣味のよい）に対するのに劣らず、英国のいろいろな社会集団のなかで顕著になっています。colorful はどうやら一八九〇年頃にあらわれてきたようです。イヌをたたくにはどんな棒でも用が足りるというのと同じ伝で、あらゆる理由が持ち出され、この語に対する嫌悪は正当だと主張されています。混種語[★8]だとか、低俗だとか、soundfulとかlightfulなどと言う人はいないとか、こんな語を使ったりするとやがてlifefulとかlaughterfulなどと言いだしかねないとか、すでに“full of color”というりっぱな表現があるじゃないかとか、等々。このような反対論はどれも検証に耐えません。英語にはすでに、りっぱに活躍中で価値のある混種語があまりにもたくさんあるので、混種語であるなどということは問題になりません（比較に、やはり混種語であるbeautiful（美しい）やjoyful（喜ばしい）を考えてみてください）。その他の反対論はおおかた類推に立っているので、その類推をさらに進めることが適切な論駁になりえます。みなさんにもおわかりでしょうが、そうすることによってわたしたちは、ある語が他の語群によって支えられている、先週、形態素に関して考察したのと同じ状況を検討していることになるのです。つまり、有意義な類推は、言語学者にしかわからないような類推ではなく、語に対するわたしたちの用法を、ときには支え、ときには避けさせ（つまり操り）、じっさいの作用を及ぼしている類推であるということです。

たとえばcolorfulといった語に対するおもしろい反対論は、低俗性に関わるものです。これは多くの新語がさらされがちな反対論です。そういう新語を喜んで使う人たちは、低俗な（vulgar）連中と反対論者たちが呼びたがる人たちであることが多いからです。さらに、ある語が言語に取り入れられるようになる主たる条件は、それが人気になったからということが多いのですが、一部の人たちにとっては、人気がある（popular）というのは低俗だ（vulgar）ということを意味しているのです。しかし、colorfulのような語が多くのさまざまな場合にさまざまな意味で使われうることは明らかです。そしてそれらを比較してみることが、その語を判定する方法となります。ウマかイヌかをはっきりさせないまま四足動物を判定するなんてことは誰もしないでしょう。したがって、ある語を判定しようとするなら、それがいったいいかなる種類の独特な用途に適しているかを考慮するべきです。ある目的にはよいものでも別の目的には合わないことがあるのを忘れないようにしなければなりません。それでは、colorful という語の独特な用途とは何でしょうか。

まず、この語が伝えることのできる反語的な含蓄に注目していただきたいと思います。この語は、hard-working（勤勉な）、painstaking（労を惜しまない）、does his best（最善を尽くす）、industrious（こつこつと）、well-intentioned（善意に満ちた）——その他、学校の先生の書く通信簿に出てくる語句と同様、何かの評価でせいぜいそれくらいのことしか言えないなら、まあ、どの程度の評価なのか明らかだ、ということをほのめかします。散文の文体や劇の上演について colorful だと評し、それきりで突き放したら、どうでもいいようなほめ言葉でそれをくさすためめの、きわめて慇懃でそれゆえにきわめて効果的なやり方になりえます。こんな言葉をまともなほめ言葉と受けとって満足するような人たちは、課題に取り組むに足る批評眼に欠けている、とそれもほのめかしているので、それだけいっそう効果的です。もちろん、colorful にはそんな含みのない用法もあります——たとえば、あるものが色彩豊かであるということしか意味せず、反語的な留保や誹謗が意図されていない場合もあります。そしてまさしく、そういうきまじめな用法があり、きまじめな用法と貶す用法との混同が容易にしばしば起きるという事実こそ、この語が場合によってその独特な機微を発揮する要因なのです。

そしてこの混同がまた、思うに、この語に対する嫌悪感を招く原因なのです。反語的な含みがあるはずのところでこの語がきまじめな意味で使われたりすると、使う人の見識のなさを示唆します。その見識のなさが——分析されないかぎり——この語そのものに感染するがままになってしまうのです。もしbeautifulが、これほど昔からあってじゅうぶん理解されている語でないとしたら、この語にも同じことが起きることになるでしょう。beautifulを下品に使ったら、この語自体が下品な用法にのみ適したものになるかもしれないのです。「beautiful food（美しい食べ物）」などという表現を聞かされると、怖じ気をふるう人もいます。エリオット氏が[★9]『荒地』で登場人物のひとりに次のように言わせています。

そうそう、アルバートが帰ってきたあの日曜日、ふたりであぶりたてのベーコン食べててね、

あたしもご馳走によばれてね、大熱々のところ（the beauty of it）を戴いたっけ

ここでエリオット氏はあの怖じ気を利用し、この語があらわれ、それがもたらす対照から生じる無残な反響を利用しています。これこそ言語の最大限の用法です——それはもちろん、何よ

りも劇的な著作に必要とされるものです。劇作では語を、単一の安定した力の容器として用いるのではなく、異なる状況で語が発揮する異なる力を取り合わせ、またもやあの相互確定を果たす並置を生じせしめる手段として用いるのです。

わたしはcolorfulを典型的な語として取り上げました。この語自体の独特の問題は、限局的で、一時的なつまらぬものかもしれません――しかし追究してみれば、語の選択に関わる問題ほとんどに行き着き、そのうえさらに、美学上の問題ほとんどを視野に入れることになります。ある語について「それは美しいか」などと問うことは――「そのさまざまな生起例においてそれがどういう役割を果たすか」という、とことんまで突き詰めた問いを立てる覚悟をともなわないかぎり――無駄であるという認識こそ、言語の美学における第一歩であり、長足の進歩をもたらす一歩なのです。美学のあらゆる分野で同様の一歩が踏み出されなければなりません。語の選択を判定するための理由に関する議論は――勝手な好みをめぐるくだらない諍いめくことがあまりにも多いのですが――、あらゆる選択に関する理論に通じる入口になりえます。この議論をこのように茶飲み種(ぐさ)から教育の中心的訓練へ転換する技巧が再発見されるのは、まだ先の話です。しかしわたしたちは、言葉が暮らしのなかでいかなる地位を占めているかを理解すればするほど、語の選択について考えることがあらゆる選択の原則について考えるためのもっとも簡便なやり方であると、いっそう納得しやすくなるでしょう。

★1　アンリ・ベルクソン（一八五九〜一九四一）はフランスの哲学者。「生の哲学」と目されたその思索は、ウィリアム・ジェイムズなどの推挽もあって英米思想界に影響を及ぼした。

★2　ウジェーヌ・カサリス（一八一二〜一八九一）はフランスのプロテスタント宣教師。長年、南アフリカのレソトに在住し、バスート族（あるいはソト族）に関する民族学的研究を遺した。レソト王国存続を指導した開明的なバスート族長モショエショエ王（一七八六〜一八七〇）の助言役も務めた。

★3　ジョン・ダン（一五七二〜一六三一）は英国の聖職者、形而上派詩人。引用の出典未詳。

★4　カール・グスタフ・ユング（一八七五〜一九六一）はスイスの心理学者、精神医学者。独自の深層心理学理論を構築した。

★5　スコットランド生まれの辞書編集者（一八三七〜一九一五）。『オックスフォード英語辞典（O・E・D）』編集者のひとりで、一八七九年から死去する年まで編集主幹を務めたが、辞書の完成を見ることはなかった。

★6　リチャード・スティール（一六七二〜一七二九）はアイルランド生まれ、英国の文人、政治家。友人ジョゼフ・アディソンとともに新聞『スペクテーター（*The Spectator*）』を発行した。

★7　サロームはサロメ、ペニロープはペーネロペー、ハーミーオーンはヘルミオネー、いずれも聖書、ギリシャ神話に登場する女性の名前の英語なまりの発音である（次に出てくるダントとゴースも同様）。

★8　混種語（hybrid）とは、異なる言語に由来する二つ以上の要素が結合してできた単語。たとえば和語と漢語との結合である「手製」、和語と外来語との結合である「長ズボン」、等々。

★9　T・S・エリオット（一八八八〜一九六五）は米国生まれ（のちに英国に帰化）の詩人、評論家。『荒地』（*The Waste Land*）（一九二二年）からの引用は、この詩の「II　チェス遊び」でゴシップをしゃべり続ける女の言葉の一部である。引用は深瀬基寛訳『荒地』、『ジョイス・ウルフ・エリオット』（世界文学大系五七）（筑摩書房、昭和三五年）、二七五頁。

第5講 隠喩

そしてまた精神は、多くを識れば識るだけ、ますますよく自らの力と自然の秩序を理解する。ところが精神は、自らの力をよく理解すればするだけますます容易に自分を導くこと、ならびに自らのために諸規則を立てることができるし、また自然の秩序をよく理解すればするだけますます容易に自らをもろもろの無益なものから遠ざけることができる。これらの点に、先に言ったように、全方法が存するのである。

——スピノザ[★1]『知性改善論』

『詩学[★2]』で「とりわけもっとも重要なのは、隠喩を駆使する能力をもつことである」と言ったのは、大物中の大物アリストテレスです。しかし、こうも付け加えました。「これだけは、他人に伝授できないものであり、生来の能力を示すしるしにほかならない。なぜなら、すぐれた比喩をつくることは、類似を見てとる目をもつことであるから。」この言葉がどれほど大きな影響を与えてきたか、あるいは、そこで言われていることが常識だとわたしたちに感じさせるのはこの言葉に罪があるのか、わたしにはわかりません。しかし、この言葉の信憑性を暫し疑ってみてください。そうすれば見えてくるはずですが、この学問のそもそもの出発をなすこの本のなかのこの言葉に、意地悪な見方をするのも恐れずに言えば、まがまがしくも三つの思い込みがあらわれています。この思い込みのために、この「とりわけもっとも重要な」ことについての研究は、学問のなかで占めるべき当然の地位に就き、そのために開かれていた道に沿って理論的にも実践的にも突き進んでいくのを、その後ずっと阻まれてきたのです。

ひとつ目の思い込みは、「類似を見てとる目」が一部の人にはそなわっているけれども、それ以外の人たちには欠けている才能であるという点です。だがわたしたちはみんな、ひたすら類似を見てとる目を頼りに生き、言葉を交わしています。そういう目をもたなければ、わたしたちはとっくに死滅するはずです。なかには他の人たちよりもいい目をそなえている者もいるかもしれませんが、その違いは程度の差でしかなく、他の違いと同様、正しい種類の教えを受けて勉強すれば、間違いなくある程度は埋め合わせがつけられます。第二の思い込みはこのことを否定し、他のことは何でも教えられるのに「これだけは、他人に伝授できない」と見なすのです。アリストテレスがこれをどれほど本気で言ったのか、あるいは、彼がこう言ったときに他のいかなる教科を念頭に置いていたのか、わたしには推しはかることもできません。しかし、わたしたち誰もが、いかに限られているとはいえ、自分たちが有する隠喩を駆使する能力をどのようにして獲得したか考えてみれば、彼が言うような相違は事実にそぐわないとわかります。わたしたちひとりひとりは、他の何であれ、自分たちが人間になるのに必要なものを学ぶのとまったく同じようにして、隠喩を駆使する能力を獲得するのです。この能力いっさいが他人から伝授されます。わたしたちが学ぶ言語によって、言語を通じて伝授されるのです。その言語は、それがもたらす隠喩を駆使する能力を通じてでなければ、わたしたちの助けになることが全然できません。そしてこのことが浮かび上がらせてくれるのは、第三の最悪の思い込みです――つまり、隠喩は言語の用法のなかで何か特別で例外的なものであり、言語の正常な働き方から外れているのであって、言語の自由な作動すべてを司る遍在的原則ではない、などという思い込みです。

《修辞学》の歴史では終始、隠喩は言葉を使った一種巧妙な余技であり、融通無碍な言葉に付随する偶然をうまく利用する機会であり、ときには適切な役割を演じるとしてもただならぬ熟練や配慮を必要とする技巧である、と見なされ扱われてきました。簡単に言えば、言語の洗練、あるいは装飾、あるいは付加的な力であって、言語を成り立たせる形式とは見なされなかったのです。なるほど、ときにはもっと深い見方に到達する書き手もあらわれないわけではありません。わたしが述べてきたことも、シェリー[★3]の次のような意見を繰り返しただけです。「言語の生命は隠喩にある。つまり言語は、これまで理解されなかった事物の関係を明らかにし、そうした理解を永続させるのであるが、それらの関係をあらわす言葉が、時の経過とともについには、統合的な想念を伝えるものではなくなり、わずかに、想念の断片または寄せ集めをあらわす記号に堕するのである。したがって、もしそのとき新たに詩人があらわれて、このように解体されてしまった連想を新たに創造し直すことがなかったならば、言語は、人類交際のいっさいの高尚な目的を果たす力を失ってしまうだろう。」しかし、これは例外的な発言であって、その含蓄は未だ修辞学者たちに注目されたことがありません。それに勝ることは、哲学者たちもひとつの集団としてやっていません。ただし、言語史家たちは、なんらかの知的活動をあらわす語や記述であって、その歴史が究明されたなら、何か物理的なできごとの記述から隠喩によって取り込まれたと見なされないような例は見出しえないであろう、と昔から説いてきてはいます。ジェレミー・ベンサムだけは、ベーコンやホッブズの後継者として、——原型化や言い換えという彼独自の技法を使いながら——敷衍できるかもしれないひとつの推論を力説しました。すなわち、精神やその作用すべてが虚構であるという推論です。彼は推論をその先へ進める仕事を、コールリッジ、F・H・ブラッドリー、ファイヒンガー[★4]に遺しました。すなわち、物質やその驚くべき運動、さらにまたそこから派生するすべての観照対象も、有用性が異なるゆえに重要性もさまざまな虚構であるという推論です。

わたしは、隠喩を真剣に研究すれば引き込まれるかもしれないこのような深淵を、一瞬だけのぞき込んでみせました。なぜなら、もしかしたらこの深淵に対する恐怖がひとつの原因となって、この種の研究は尻つぼみになることが多かったし、《修辞学》は伝統的にその探究を比較的皮相な問題に限ってきたからです。しかし、そういう皮相な問題すら研究を進めようとするなら、わたしたちは、そのもとになっている言葉の相互作用の深みをできるかぎり探究しようとする覚悟をもたなければなりません。

隠喩が言語を司る遍在的原則であるということは、観察するだけで明らかにすることができます。通常の流動的な言述は隠喩なしで文三つも続くことはありえません。それは、この講義全体からおわかりいただけるでしょう。安定した科学の厳格な言語においてさえ、隠喩を排除したり防除したりしようとすれば、大きな困難に出会います。中途半端に専門技術化した分野、美学、政治学、社会学、倫理学、心理学、言語理論、等々において、わたしたちの絶えず出くわす主たる困難は、隠喩がいかに使われているか、意味の固定されていることになっている語がいかに意味を変動させているか、ということに気づかされるために起きています。なかんずく哲学では、書き手も読み手も隠喩を使っているかもしれないことに対して油断なく気をつけないでは一歩も進めません。そして隠喩を避けるという触れ込みをしようにも、隠喩を突き止めることによってしかそうしてみせることはできません。また、その哲学が厳格で抽象的になればなるほどますますそういう実情が顕著になります。抽象的になればなるほど、頼らないという建前になっている隠喩に頼って思考するようになります。わたしたちの思考は、受け入れている隠喩に劣らず、避けようとしている隠喩によっても操られます。何を言っているのかよりも何を言っていないのかのほうがわかりやすいような発語の場合も、同様の事態に陥っているに違いありません。哲学では、隠喩なしで済ますなどという触れ込みはポーカーのはったりと変わらず、やがてばれてしまう危険性があると言ったブラッドリーに、わたしも同感します。これは哲学のほぼ定義となると言ってもいいでしょう。ただし、それが真理だとしても、言うは易く、ばれた場合の結果を受けとめたり、忘れないようにしたりするのは難しいものです。

隠喩が言葉のなかに遍在しているという見方は、理論的に推奨できます。わたしが《第二講》で意味についてのコンテクスト定理に関して言おうとしたことを思い出してください。すなわち意味とは、記号がそれにまつわるさまざまなコンテクストの省略された部分である抽象ないし様相を新しい単位にまとめる際に、手がかりとなる代表して託された効力であるということを。そうすれば、語とは標準的な場合、過去に経験したひとつの個別の印象ではなく一般的様相の集合体の代理物となっている（つまり、それを意味している）と、多少強調したことも記憶に甦らせていただけるでしょう。ところでこれこそ隠喩の原則についての要約的説明なのです。もっとも単純に言えば、わたしたちは隠喩を使うとき、異なったものごとに関する二つの想念を同時に働かせ、ひとつの語ないし語句で支えさせるのであって、その語ないし語句の意味とは、これらの想念の相互作用から生じる合成体です。

ジョンソン博士[★5]曰く「比喩的表現に至っては、これは適当に用いられさえすれば文体上非常な長所となるものだ。何故なら、それはひとつの観念に対して二つの観念を与えるからである」。おわかりのように博士は、隠喩についての偏狭な伝統的見解に従っています。ひとつの観念に対して二つの観念を与えるという文体上の美点について言えば、そうなるかどうかは、二つの観念が相互に対して何をするか、あるいは協働してわたしたちに何をしてくれるか、ということにかかっています。もっと細かに検討してみれば、言うまでもなくおわかりになるように、併存する想念とでもわたしは呼びたいもの同士のあいだに起きる、あるいはコンテクスト定理の用語に従えば、語の意味を形づくるさまざまなコンテクストのさまざまな省略されて失われた部分ないし様相のあいだで起きる、相互作用のあり方には、とてつもない多様性があります。実際においてわたしたちは、これらのさまざまなあり方の相互作用を、程度は人によって異なるにしても、賛嘆に値する巧妙さを発揮して識別します。たとえば、エリザベス朝時代の人びとはわたしたち現代人よりも、隠喩使用において——発語でも解釈でも——はるかに豊かな技能を発揮しました。これこそシェイクスピアの出現を可能にした事実にほかなりません。一八世紀は保身にかまけ、この技能を狭めて、いくつかのあり方の相互作用しか目に入れなくなりました。一九世紀初頭はこれに反逆し、他のあり方にのめり込んで特殊化しました。一九世紀後半とわたしの世代は、これら二つの特殊化から立ち直ろうとしてきています。そんなふうに古典主義対ロマン主義の対立を捉え直してみてはいかがでしょうか。この捉え方を実際に適用してみてもおもしろいかもしれません。

しかし、この捉え方を実際に適用するためには、いまもなお通用している隠喩理論よりももっと進化した理論がなければならないでしょう。伝統的な理論は隠喩の諸様式のうちのほんのわずかにしか目が届いていず、隠喩という用語をほんのわずかのものにしか充てませんでした。そのおかげで隠喩とは言葉の問題であり、語の変動や置き換えであるみたいに見えたのです。ところが隠喩とは、根本的には想念同士のあいだで起きる貸借であり交渉であって、コンテクスト同士の取引なのです。想念が隠喩的なのであり、比較によって進展するのであって、言語の隠喩もそこから派生しているのです。隠喩理論を改良するには、このことを忘れてはいけません。そしてそのための方法は、わたしたちの技巧を議論の可能な科学に翻訳しなければなりません。わたしたちがすでにもっていて時折は自覚している、思考の技巧にもっと注意を払うことです。わたしたちがすでにこれほど上手にやっていることについてもっとよく省察すること。暗黙にとどまっている認識を明示的な識別力に高めることです。

そうするとわかってくることには、文学史や文学批評で問題となる疑問がすべて、新たな関心や、人間の必要に応えるさらに広い関連性を帯びてきます。言語がいかに作動するかと問うことによってわたしたちが問うているのは、思考や感情やその他精神の働き方いっさいがどのように進むのか、生き方をいかに学ぶべきか、あの「とりわけもっとも重要なこと」——それが重要なのはひとえに、それが人生を駆使する能力だからなのですが——つまり隠喩を駆使する能力を、アリストテレスの言にもかかわらずもっともうまく「他人に伝授」するにはいかにすればいいのか、という問いなのです。しかし成果を上げるには、ホッブズに倣って「結局あらゆる考察は、なんらかの行為ないし仕事のために企てられたのである」ということを銘記しなければなりませんし、カント[★6]に倣って「われわれは純粋実践理性に対して、理論理性に服従しこの秩序を転逆せよと要求することはできない。すべての関心は結局実践的であり、また理論理性の関心さえ被制約的にすぎず、実践的使用においてのみ完全だからである」ということを銘記しなければなりません。わたしたちの理論もまた、実践に根ざしている以上、技能の改善にその成果を求めなければなりません。スーフィー派[★7]の神秘家は、「わたしは父親を息子とする子であり、ブドウの木を壺とするワインである」と言って、思索がほんとうは何についてのものなのかを忘れない思索の全過程を要約しています。

ここまでのお話は、隠喩に関する理論を、伝統的《修辞学》が享受してきたよりももっと重要な地位に就けるための序論であり、下準備でした。もうそろそろ、これまでのような高遠な思弁から降りて、分析のための簡単な手段いくつかについて考えてみてもいいでしょう。わたしたちが有している隠喩の技能を明示的な科学へ翻訳しやすくするための手段です。第一歩は専門用語を二つ導入することです。そのおかげで、いかなる隠喩も、それがもっとも単純なものであっても、与えてくれる二つの観念とジョンソン博士が呼んだものを、たがいに区別することができるようになります。それを主意（tenor）と媒体（vehicle）[★8]と呼ぶことにしましょう。隠喩をめぐる話につきまとう奇中の奇ともいうべき事実は、隠喩を成り立たせるこれら二つの観念を区別するために定められた用語がないということです——なんらかの分析を混乱なく進めようとしたら、そういう用語は大いなる便宜をもたらしてくれるはずだし、ほとんど必須であるにもかかわらず、なかったのです。というのも、研究課題は終始、隠喩のこれら二つの構成要素がさまざまな例においてたがいに結び合うさまざまな関係を比較することにあるのですから、これら二つのうちのどちらについて語っているのかがわからなかったら、話ははじめから混乱するではありませんか。いまのところ学界には、二つを分けるために使われている記述的なややぎこちない語句しかありません。すなわち、「本来の観念」対「借用された観念」、「実際に言われたり考えられたりしているもの」対「喩えられているもの」、「基底にある観念」対「想像された性質」、「主たる主題」対「それが類似しているもの」、あるいはもっとわかりにくく単に「意味」対「隠喩」としたり、あるいは「観念」対「そのイメージ」としたりです。

これらがいかに混乱を招くか、容易にわかります。また、隠喩の分析にあたった経験から言えるように、最悪の予想がもれなくあたります。「隠喩」は、二つの要素からなる単位全体を意味する語として必要なのです。だからこの語を、ときには二つの構成要素のうちの一方を他方から切り離されたものとして指す意味で使うのは、無思慮なやり方です。そんなやり方は、「意味」という語をここで、ときには複合的単位全体がなす作用を指すものとして用い、ときにはわたしが主意と呼んでいる他方の構成要素——媒体ないし喩えがあらわす意味の基底にある観念ないし主たる主題——を指すものとして用いる、あの詐術と変わりありません。隠喩の詳しい分析は、このようなまぎらわしい用語でおこなおうとしたら、まるで立方根を求めるのに暗算でやろうとしているみたいに感じることがあっても、当然です。あるいは、もっとぴったりした比喩を使うなら、もしtwelve（一二）という語を、あるときは一、あるときは二、また別のときは二一の意味で使い、わたしたちが使っているしるしの助けも借りずに、計算中のいろいろな箇所でこの語をどの意味で使っていたのか、なんとか覚えるか見分けるかしなければならないとしたら、もっとも初歩的な算数もどんな感じになるでしょう。このような語、つまり意味、表現、隠喩、比喩、主題、喩え、イメージなどはすべて、このように意味が浮動します。だから、このことがわかれば、この分野の研究が立ち後れている状態にあることの説明の少なくとも一部は明らかになるので、これ以上追究する必要もなくなるでしょう。修辞学者たちがとっくの昔に、言語にまつわるこの欠陥を自分たちの目的に合わせて矯正しなかったのはなぜか、考えてみる値のある問題かもしれません。納得のいくような答えはわたしには見つかりません。わたしの知るかぎり最良の教師であるG・E・ムーア[9]がかつて言ったとおり、「これほどさまざまな意味を伝えるためになぜわれわれは形の同じ言語表現を使うのか、わたしには答えようがありません。言語があたかも哲学者たちを惑わせようという明確な意図のもとに作られたみたいな成長を遂げてきたなんて、とても奇異に思われます。なぜそうなってしまったものやら、わたしにはわかりません」。

この関連で言えば、「喩え[10]」や「イメージ」という語は、とくに、また他の語よりも、惑わせてくれます。これら二つの語は、ときには複合的単位全体を意味し、ときにはそのなかの一構成要素、つまり他の要素と対立する媒体を意味します。だがそれに加え、なんらかの種類の感覚＝知覚の写しか再現であるという意味のイメージとの混同をも引き起こします。そのために修辞学者たちは、文彩としての喩え、イメージ、想像による比喩が、この別な意味のイメージ、つまり心のなかの目や耳にとらえられる心像という意味のイメージのあらわれとなんらかの関係をもっていなければならない、と考えさせられてきたのです。しかし、もちろんそんな必要はありません。その種のイメージなんかどこにも介在しなくていいのです。こんな目くらましに等しい用語がもたらす悪影響について、その一例を第一回目の講義でお話ししました――シェイクスピアに孔雀の羽根が出てくるとわたしたちは心のなかで絵を描き出すにちがいないと決めつけたために、ケームズ卿がやらかしてしまったあのふざけた解釈のお話です。修辞学や批評の諸派いずれもが、あの目くらましに引きずられて道を踏み誤ってしまいました。たとえば諸芸術間の関係に関するレッシング[★11]の議論は、嘆かわしくもそのために損なわれています。文彩としての喩えの作用は、感覚的知覚の写しや複製としてのイメージが読み手や書き手のために語を引き立ててくれる作用とは必ずしも関係がないということを、わたしたちはしっかり認識しておかなければなりません。ある種の読者にとっての特別な場合には、心像としてのイメージが介在するかもしれません――その場合には、ここで扱っている問題に関連するかぎりで個人心理を論じる長い一章ができます。しかし、心像などなくても語はほとんど何でもやってのけますから、一般理論のなかに心像が必然的にあらわれるなどという仮定をしてはいけません。

主意と媒体のような専門用語の重宝さを例証し、加えて心像仮説の悪影響を例証することができるように、ケームズ卿からもうひとつ引用をしてみせましょう。彼の著書『批評の原理』第二〇章第六段からの引用です。彼が何を言おうとしているのか理解するのが困難だということそのものから、この分野で厳格な専門性がいかに必要とされるか、みなさんにもおわかりいただけると思います。彼の主張は明らかに間違っているとわたしは思います。しかし、それは間違いだということで満足してしまう前に、何が彼の主張なのかはっきりつかまなければなりません。そしてわたしがまずみなさんに注意を向けてもらいたいのは、彼がそれを述べるときのぎこちなくまぎらわしい言語です。彼は書き手が「隠喩を組み立てる」ときに守るべき規則を定めるために予備的議論として、次のように言っています。「第四に、隠喩にあっては、主たる主題は喩えと類似しているだけのものにほかならないと想像されるために、比較が表面にあらわれないから、それ（すなわち主たる主題）をその想像された性質に関して厳密に、あるいは文字通りに解釈される言葉で記述するための機会が与えられる。」

わたしが提案した用語を使って言えば——わたしたちは媒体を記述することによって主意を記述したり性格づけたりできる、ということでしょう。彼はさらに続けてこう言っています。「このことからもうひとつの規則が浮かび上がる。すなわち、隠喩を組み立てるときに書き手は、その主題の想像された性質に文字通りあてはまるような言葉のみを用いるべきだということである。」すなわち、媒体を記述するのに別の新たな隠喩を使ってはいけないということでしょう。さらに曰く「比喩的な語は避けるように注意するべきである。というのも、そのように錯綜した喩えは、主たる主題を強い光のなかに据えるどころか、雲中深く包み込んでしまうからである。それでも読者が、すっかり断念することもなく、喩えに惑わされず平明な意味をつかもうと辛抱強く努力してくれるならば、もっけの幸いである。」

ここでいったいどういうことがなされているのか、どうか入念に考えていただきたいのです。というのも、わたしが信じるところ、これは伝統的な比喩研究をあまり役に立たないものにしてきた原因の大多数を例示しているからです。そしてまず注目していただきたいのは、これが一八世紀の思い込みを見せつけてくれているということです。それはつまり、喩えというものが単なる装飾であり付加的な美点にすぎないし、平明な意味つまり主意だけがほんとうに重要なもので、辛抱強い読者には「喩えに惑わされず」つかまえることができるかもしれないものである、とする思い込みです。

現代の理論なら何よりもまず、隠喩のもっとも重要な用法の大部分において、媒体と主意とが併存する結果、両者の相互作用なしには獲得しえない意味（主意とは明確に区別されるべき意味）があらわれる、と反論することでしょう。すなわち、媒体は通常、主意の単なる装飾ではなく、主意は媒体によって装飾以外の変化を被らないというものではない、と。それどころか、媒体と主意は協働して、どちらか一方に帰せられうるよりももっと多様な力をそなえた意味をもたらす、と。さらに現代の理論なら、この合成される意味に媒体と主意がそれぞれどれほどの相対的重要性をともなって貢献するかは、異なる隠喩間で大きく変化すると指摘するはずです。一方の極端な場合には、媒体が主意の単なる飾りか彩りに近いものになることもあるし、他方の極端な場合には、主意が媒体を持ち込むための口実に近いものになり、もはや「主たる主題」と言えなくなることもあります。そして主意が「喩えと類似しているだけのものにほかならない」と想像される程度もまた、大きく変化します。

この変化によって生じる差異については、来週またお話しします。その前にケームズ卿をもう少し研究してみましょう。隠喩に隠喩を重ねることは避けるように注意するべきであるという、彼の提案したあの規則はどうなのでしょうか。あの規則をまじめに受けとったらどんなことになるでしょうか。あれを受け入れて守ったりしたら、書き言葉や話し言葉の大部分が大混乱に陥ることでしょう。あの規則は、もっとも頻用されて言葉全体を支えている隠喩を――それらが死せる隠喩であるという便利な口実に隠れて――無視するものです。思うに、あの規則に従えば、シェイクスピアは史上最悪の作家であるとされてしまうでしょう。今日わたしたちが言葉を使うときに従っている慣行のなかの、一瞬たりとも免れることのできないもっとも顕著な特徴のひとつを、頑固に目をつぶって見ようともしないことになります。たとえばケームズ卿自身が書いた文をご覧ください。「そのように錯綜した喩えは、主たる主題を強い光のなかに据えるどころか、雲中深く包み込んでしまうからである。」この「強い」光はどうなのでしょうか。光は媒体であり、二次的な別の隠喩、つまり比喩的な語で記述されているではありませんか——誰にも少しの困難も感じさせずにです。しかし、こう言われるかもしれません。「違う！　強いという語は、光にあてがわれたらもう比喩的な語ではない。それは人間やウマに対してと同様、光に対する文字通りの記述的な語なのだ。それは二つの観念を伝えているのではなく、ひとつの観念しか伝えていない。それは「均らされて（adequated）」しまっていて、つまり死んでいるので、もはや隠喩ではなくなった」と。だが、このような隠喩がいかにすっかり死んでいるように見えても、わたしたちはそれを簡単に呼び覚ますことができます。そしてケームズの言うことが正しければ、それを呼び覚ませば主意を雲中に包み込む危険を冒すことになるでしょうが、そんなことは実際にはちっとも起きません。死んだ隠喩と生きた隠喩を区別する昔から好まれたこの手法（それ自体、二重の隠喩）はじつに、この研究分野全体のなかであまりにもしばしば叡智や炯眼を妨げる足手まといになってきた仕掛けなのです。これは真剣に厳しく再検討されなければなりません。

わたしたちはじつに、ケームズが認めそうな程度のよりも計り知れないくらいもっとうまく、錯綜した隠喩を扱ってのけます。彼は自分の定めた規則を破っている一例をあげていますが、これは、理論というものがこのような場合にはいかに容易に通常の能力を麻痺させうるかを見せてくれるだけでも、検討してみるに値します。彼があげているのは以下の二行です。

頑迷にして打ち勝ちがたい炎が
彼の血管の中に忍び込み、命の流れを飲む。[★12]

「この表現を分析してみよう」とケームズは言います。「発熱は炎として想像できるかもしれない、それはわたしも認める。もっとも、その類似に到達するまでには一度の手続きで間に合わない。」わたし自身としては、彼の言とは反対に、これ以上単純な転移は見つけがたいと考えたでしょう。発熱にしても炎にしても熱が上昇するという事例なのですから！　なのに彼は手続きなるものを詳説するに及ぶのです。「発熱は身体を熱することによって火と類似する。だから発熱を火と想像するのは無理にならない。さらにまた、文彩によって炎は火と置き換えられるかもしれない。炎と火はふつう結びついているからである。それゆえに発熱は炎とも言いうる。だが次に、発熱は炎であると認めた以上、その影響は炎に文字通り合致する語で説明されるべきである。この規則がここでは遵守されていない。炎が飲むというのは比喩的表現でしかなく、固有の意味にそぐわないからである。」

あっぱれなものです！　しかし、せっかくの詳説には申し訳ありませんが、いったい誰がこの二行の理解に困難を感じるでしょうか。主意と媒体の相互作用は、二次的媒体によって少しも阻害されていないじゃありませんか。

わたしがこの独りよがりな衒学ぶりの実例をあげたのは、主として、みなさんにこれらの専門用語のわたしなりの使い方に慣れていただくためですが、併せてついでに、隠喩をめぐる従来の議論の大部分が、やけに熱心な生徒たちへの教訓じみた助言、言語に関する根本理論めかした助言の域をほとんど越えていないという主張を裏づけるためでもありました。ケームズ卿は論じ方において格別偏狭でも異常に愚鈍でもないのです。たとえば、カウリー[★13]やダンを論じる際のジョンソンにも同様のことが見られますし、モンボドー、ハリスやウィザーズ、キャンベル[★14]、その他一八世紀の主な修辞学者たちもみんな変わりありません。

コールリッジがあらわれるまでは、言語に関するこれらの主要問題に取り組むのに耐えられるほどの基礎はなんら見当たりません。しかし、コールリッジの思想もまだいまのところはその本領を発揮していません。そしてコールリッジ以後は、せっかく彼が可能性を切り拓いてみせたにもかかわらず、残念なことに問題に対する関心が薄れてしまいました。一八世紀は問題の立て方や用いようとした技法の点で間違えていましたが、少なくとも、それが重要な問題であり、なされるべき研究が限りなくあるということはわきまえていました。したがってケームズ卿の『批評の原理』は、わたしがところどころでそれをからかってきたように思われるかもしれませんが、また事実、そういう箇所がいたるところに見受けられるのでつい読みふけるほどの書物なのですが、それでもとても価値のある教訓に満ちた本なのです。そこからは、避けるべき思い違いの見本のみならず、取り上げて立て直し、前進させるべき問題の見本も得られます。この本のページを繰るにつれつぎつぎに見出される問題提起は、卿の扱い方に至らなさがあるとはいえ、にもかかわらず言語を真剣に研究しようとしたら無視すべきではない論点であることに変わりありません。そういう例をひとつ取り上げて、隠喩を分析しようという野心的な試みにとっていつも必要とされる警告ないし教訓を、二つばかりお示しするための手がかりにします。

ケームズは『オセロ』[15]から次の一行だけ引用しています。

口元まで貧窮の苦しみにひたされ、

そしてこんなコメントをつけています。「類似が幽かに過ぎて落ち着かない――貧苦がここでは液体であると考えられねばならないが、貧苦は液体と似ても似つかない。」オセロの台詞全体を見てみましょう。この「ひたされ」を説明したり弁護したりするのは容易でないとわかってきます。みなさんもご記憶のように、この台詞はオセロがはじめて公然とデスデモーナの不倫を責める場面に出てきます。

艱難辛苦をもって俺を試練にかけるのが
天の御心だとしても、ありとあらゆる苦痛や恥辱が

むき出しの俺の頭に雨となって降りそそぎ、
口元まで貧窮の苦しみにひたされ、
最後の希望と共に囚われの身になったとしても、
俺の心のどこかには一滴の忍耐が
残っているだろう。だが、ああ、この俺が
世のあざけりの的となって身動きもならず、
じりじりと進む時の針を突きつけられるとは！
いや、それさえ耐えようと思えば、耐えられる、そうとも、じっと。
だが、俺の心を大切にしまっておいたところ、
生きるもここ、死ぬのもここと思い決めた場所、
俺の命の流れが湧き出しもすれば涸れもする
泉――そこから投げ捨てられるのは耐えられない！
その泉を、けがらわしいヒキガエルがつるんだり
孕んだりする水溜まりにするのか！

この「ひたされ」という語については、どう言えばいいでしょうか。ケームズはどう言っていますか。「類似が幽かに過ぎて落ち着かない」なんて言うのは、じつは穏便すぎます。類似

が乏しいなんてものではなく、あまりにも違いが大きい、あまりにも鋭く対立している事例ではありませんか。というのも、主意である《貧苦》とは窮乏、枯渇の状態であるのに、媒体は——オセロがひたされることになる海ないし水槽ということになり——充溢のしるしを思わせるからです。貧苦は収入がないのに出ていくばかりの状態でしょうが、「口元までひたさ」れたら、入ってくるものとたたかわなければならなくなるでしょう(原注)。みなさんももうお気づきでしょうが、この台詞全体が液体のイメージを繰り返しています。「降りそそぎ」、「一滴の忍耐」、「命の流れが湧き出しもすれば涸れもする泉」、等々。だからといって、これらのイメージのどれひとつとして「ひたされ」の救いになってはくれません。また、そのなかのひとつ「一滴の忍耐」は、「ひたされ」にまつわる混乱して調子の狂った効果をもっとこじらせると思われます。わたし自身はこの語をなんとか擁護しようとしたら、次のことしか言えません。でもそれで——演劇の必要からすればよくあるとおり——じつはじゅうぶんだとも思えるのです。すなわち、オセロ自身がひどく取り乱しているということ、この発語はデスデモーナを責めているときに彼がぶちまける「恐怖と憤激の嵐」[★16]の一部をなしているということ、そしてまた、一時的に錯乱した心はそんな話し方をするものであり、ぴったりしているかどうかにかまわずやたらイメージにとりつかれるものだということです。オセロはこの嵐におぼれていて(二幕一場二一二—二一行参照[★17])、そのことを自分でもわかっていると言っていいでしょう。

（原注）部分的にはこれと相似的な「俺の五感を忘却の淵にひた」す（『ヘンリー四世』第二部、三幕一場★18）という表現では、隠喩を重ねることによってレーテーにつながるので、わかりにくさが取り除かれています。

この例に関してわたしが指摘したい教訓は、第一に、ある語がどんな働き方をなしうるかがわからないからといって、それだけではけっしてそれが働かない証拠にはならないということです。第二には、これとは逆に、ある語がどんな働き方をするべきかがわかっているからといって、その通りに働く証拠にはならないということです。隠喩を詳しく検討しているといつも、そんな衒学や独りよがりの危険に巻き込まれるので、こういう教訓を力説しておくのも無駄ではないと思えます。とはいえ、隠喩を、この教訓を忘れないようにしながら批判的に検討することは、まさに今日の文学批評がまっ先に必要としていることです。

ケームズに話を戻せば、「類似が幽かに過ぎて落ち着かない」（書き手にはつねに落ち着かせてもらわなければならないのがあたりまえ、などというおもしろい思い込みが前提になっていることに気がつきましたか！）という彼の難詰は、主意と媒体が類似によってつながっていなければならず、また、両者の相互作用がたがいの類似を通じてもたらされるということを前提にしていました。ところがケームズ自身が別のページでは、類似に依存するのではなく、主意と媒体とのあいだの類似以外の関係に依存している型の喩えを選び出してきて、得意になっているのですが、それはそれで結構なことです。この喩えは他の論者たちに見逃されてきたし、異なる原則に依拠しているので他の喩えとは区別しなければならないと言っています。

「「めくるめく崖っぷち」、「陽気な酒」、「大胆な傷」などがこの種の喩えの例である。ここでは形容詞が、それと結びついている名詞のいかなる質も意味しえない関係に置かれている。たとえば「崖っぷち」は、固有の意味でも比喩的な意味でも、その性質や属性を指示する形容として「めくるめく」を先に立たせることができない。この表現を注意深く検討してみるに、「崖っぷち」が「めくるめく」と形容されるのは、そこに立った人たちにそういう効果を生じることからだとわかる。(中略) われわれはこの喩えをいかに説明するべきか。この喩えは思念に存する (lies) とわれわれは見る (ここの lies がどういう意味かわたしにはよくわかりません。思うに「その基礎ないし説明は思念にある」と言いたいのであって、「嘘をつく」と言いたいわけではないでしょう) が、いかなる原則にそれは帰されるべきであろうか。詩人には、事物の性質を変え、ある対象にそなわってもいない属性を好きなように付与する特権があるのであろうか。」たいていの現代人なら「もちろん、詩人にはそういう特権がある!」と言うでしょう。しかしケームズはそんな解決法を受け入れません。その代わりに隣接連想の原則に頼るのです。「これまでもしばしば教示する機会があったが、精神は、つながった事物の系列に沿って容易にスラスラと渡っていくものである。そして事物が密接につながっている場合は、一方の良い性質や悪い性質を他方まで運んでいく傾向が精神にはあり、精神がそういう性質でいくらかでも燃え立たせられている場合にはとくにそうなるのである。」次に彼は、そういう隣接燃焼の八変種を列挙します——思うに、自分がこの新しい原則によって、隠喩における相互作用の可能性に関する理論をどれほど大きく拡張したか、はっきり認識することも全然できていないのです。主意と媒体の類似を通じて作用するのではなく、両者間の不釣り合いを含むその他の関係に依存する相互作用を「注意深く検討してみる」ことをいったん始めたら、比較としての隠喩についてもっとも広まっている、あまりにも単純な支配的な思い込みのいくつかが、すぐにでも暴露されてしまいます。

でもその前に、あの「めくるめく崖っぷち」にもう一度目を向けてみましょう。「崖っぷち」は、固有の意味でも比喩的な意味でも、その性質や属性を指示する形容として「めくるめく」を先に立たせることができない、とケームズは言っていますが、それで正しいでしょうか。「めくるめく」が「めくるめく」を「めまいさせる」に変えているのは当たっているでしょうか——「崖っぷち」が「めくるめく」と形容されるのは、そこに立った人たちにそういう効果を生じることからだ」なんて。めまいの瞬間には、崖っぷち自体が浮遊していると感じられないでしょうか。人がめまいでふらつくと、世界もまわりだします。崖っぷちはめまいさせるというだけでなく、実際にぐらぐらし始め、それ自体がよろめき、ものすごい早さで回転するみたいにもなります。眼震顫（がんしんせん）を起こした目は自らの運動を世界に——崖っぷちも含む世界に——伝染させます。こうして知覚された崖っぷちは実際にそれ自体がめくるめく感じを獲得するわけで、それこそが詩人の伝えようとしている崖っぷちなのです。そうだとすれば、そもそもここに隠喩があるのか、ちょっと疑わしくもなってきます――だが最終的には、人間がめまいを起こすにつれ世界に伝染するふらつきは、それ自体きわめて隠喩的な過程を経て生じていると、わたしたちにもわかることになります。わたしたちの目はぴくつきますが、まわって見えるのは世界なのです。あらゆる知覚の大部分はもしかしたら、突き詰めてみればこのようなものかもしれません。わたしたちの世界は投影された世界であって、わたしたち自身の生活から貸し与えられた特徴が奥深くまで浸透しています。「私たちは与えるもののみを受ける。[19]」言語における隠喩の作動過程、つまり言葉で明示された隠喩において吟味される語の意味間でのやりとりは、知覚された世界に刻印されていて、その世界そのものが、先行する隠喩や書かれざる隠喩の産物なのです。だから、そういうことを忘れて隠喩を扱おうとしても、正しい扱い方はできません。だからこそ、隠喩に関する理論を一八世紀の見方よりも前進させるつもりなら、意味に関するなんらかの一般理論を踏まえなければなりません。そしてこの必要性をもっとも深く明確に認識したのがコールリッジでしたから、コールリッジがこの理論を象徴的に述べている『政治家必携の書[20]』付録Cの一節を引用することで、今回の講義を締めくくるのがふさわしいでしょう。

コールリッジにとって象徴は、澄明なしるしであって、「全体を明らかにする一方で、それ自身は、自らがその代表である統一のなかの、生きた一部分として存在し続け」るのです。それだからここで彼は、植物界ないしなんらかの植物を省察の対象にします。それを通じて、あるいはそれのなかに、想像力の普遍的様式を見ようというのです――個々の生命とその世界がともに成長するときに頼りとする隠喩的交換の普遍的様式のことです。この省察をたどれば、わたしが信じるに、他のいかなる道をたどるよりももっと容易にまた安全に、想像の成長についてのコールリッジの構想にたどり着きます。というのも、ここにおける植物が彼の言う意味でのあらゆる成長の象徴であるように、この経路もそれ自体、想像力の象徴であり、澄明なしるしだからです。

引用の前段階で彼は《自然》の本について語ってきたあと、こう述べます。自然は、「そこに精神世界の象徴と照応物を見出すとき、いつの時代でも、柔和で信仰篤い人々の心の音楽であり続けてきましたし、また人間につねに語りかけている詩なのです
「いまこの瞬間にも、花咲く丘を静かに眺める私の目の前に、自然という書物の、このうえなく心なごむ一章が繰り広げられています。そこには嘆きの言葉などはありません。罪や苦悩をあらわす文字などもひとつとしてありません。なぜなら、樹木や草花を見たり考えたりするときに感じる気持ちは、愛らしい嬰児(みどりご)が母親の胸に抱かれて乳を飲むうちにまどろみ、ほのかな幸福感に包まれた不思議な夢に微笑む姿を見るときに沸き上がる気持と、いつも同じだからです。そんな優しい穏やかな喜びが、私を捉えて離さないのです。そしてどちらの場合も、その喜びは、憂鬱の疼き、諫めの囁きに遮られて、心の奥に吸い込まれていき、そして憧れにも似た熱い思いに突き動かされて、かき乱されるのです。あたかも魂がこんなふうにつぶやいているかのように――この満ち足りた状態からお前は堕ちてしまった！　いまでもこんなふうに、

お前はなるべきなのだ。もっと神聖な力に完全に浸されたお前に！　自らの透明性によって身を隠しつつ輝き渡るお前に。この静かで調和に満ちたもののなかでは、偶然的で付随的なものも、輝く自然の光と生命の恩恵を受けているように。ちょうど、神から伝えられる力、愛と知恵があまねく自然に満ち、自然のなかに輝きあふれているように！　だがしかし植物は、それ自体の働きによるのではなく、無意識に満ち足りた状態にある――そんなふうにお前は自分自身をしなければならない！　祈りによって、注意深く従順な精神によって、少なくともそうなるように導き助けとなる恩恵に浴し、焼き印を押されていない良心に従い、決して奢り高ぶらない知識をもって、努めなければならないのだ。

「しかしさらに、（中略）いま眺めている静かな自然の事物のなかに、私自身の空想が恣意的に繋げた例証以上のもの、単なる直喩以上のものを見ているような気がします。あたかも目の前に理性の力と同じ力があるかのように感じて、畏怖の念に駆られるのです。それは、同じ力がより下位で働いているものであって、それゆえに事物の本質に具現されている象徴なのです。一本の木や一輪の花を、あるいは世界中の樹木草花を、自然の生命の偉大な器官のひとつとして観照するとき、私はやはり畏敬の念に打たれます。ご覧なさい！　昇りゆく太陽と共に、植物の生命が外に向かって動き始め、自然のあらゆる要素と交流して、それらを自らのなかに同化し、そしてお互いに同化させ合う姿を。同時に根を張り、葉を広げ、水分を吸い取り、呼吸をし、清々しい水蒸気を発散し、より繊細な芳香を放ち、回復力、すなわち空気の健全さを保ち滋養となるものを、自らを育んでくれる大気のなかに吹き込むのです。さあご覧なさい！光に触れて、植物が光に似た生気を放つ様子を。そしてその同じ拍動によって、密やかに生長し、広がりながら、自ら精錬したものを収縮して固定する様子を。ご覧なさい！　全体がもっとも深い休息に安らぐなかにも、部分では絶え間なく造形が進行し、物言わぬ根源的な自然の生命全体を目に見える形に変えた有機体（オルガニスムス）となる姿を。それゆえに、それは片方の極を体現することによって、もう一方の極の象徴となるのです。すなわち、上位にある理性の生命の、自然界の象徴になるのです。」

ここでコールリッジが「あらゆる要素との交流」について述べたことは、語についてもまた真理なのです——隠喩からなる自由な言述に用いられている語については。この一九年前[21]に彼はこう問いました。「言葉は植物の一部であり発芽ではないのか」と。

★1　バールーフ・デ・スピノザ（一六三二〜一六七七）はオランダの哲学者。引用は畠中尚志訳『知性改善論（*De Intellectus Emendatione*）』（岩波文庫、昭和四九年二八刷）、三五頁。
★2　引用はアリストテレス前掲書、松本仁助・岡道男訳、八七頁。
★3　パーシー・ビッシュ・シェリー（一七九二〜一八二二）は英国ロマン派詩人。引用は「詩の擁護（*A Defence of Poetry*）」、上田和夫訳『シェリー詩集』（新潮文庫、平成一九年一五刷）、二五二頁を参照した。

★4　ハンス・ファイヒンガー（一八五二〜一九三三）。ドイツの哲学者。著書『かのようにの哲学（*Die Philosophie des Als Ob*）』（一九一一年）を通じて、真理とは人間にとって有用な虚構であるとする虚構主義を主張し、ベンサムの「虚構理論」の後継と認めた。ベンサムについての注（第1講★9）参照。

★5　以下の引用は、『サミュエル・ジョンソン伝（*The Life of Samuel Johnson*）』一七九一年）の著者ジェイムズ・ボズウェルによって、この伝記のなかに記録されたジョンソンの発言。引用訳は神吉三郎訳『サミュエル・ヂョンスン伝』（岩波文庫、一九八八年）、中巻二四一頁。

★6　ドイツの哲学者（一七二四〜一八〇四）。引用は波多野精一・宮本和吉訳『実践理性批判』（岩波文庫、昭和四二年三九刷）、一七三〜四頁。

★7　イスラム内の神秘主義的傾向の強い教団群。

★8　元来 tenor は「（法律）文書などの趣旨の意味」、vehicle は「意思疎通のための伝達手段」の意味で使われていた語であるが、ＯＥＤでは、隠喩を分析するための用語として本書のこの箇所が初出とされている。たとえば「時は金なり」という隠喩において、「時」が主意、「金」が「媒体」となる。

★9　英国の哲学者（一八七三〜一九五八）。ケンブリッジ大学教授としてリチャーズを指導した。分析哲学草分けのひとり。

★10「喩え」ないし「文彩」の意の英単語 figure には、もともと「形」や「視覚的像」の意味がある。

★11　ゴットホルト・エフライム・レッシング（一七二九〜一七八一）はドイツの詩人、劇作家、批評家。著書『ラオコーン（*Laokoon*）』（一七六七年）で絵画と詩の関係を論じた。

★12　英国の劇作家ニコラス・ロウの『レディ・ジェーン・グレイの悲劇（*The Tragedy of the Lady Jane Gray*）』（一七一五年）の一節。

★13　エイブラハム・カウリー（一六一八～六七）は英国の詩人、随筆家。ジョンソンの『イギリス詩人伝（*Lives of the Most Eminent English Poets*）』（一七八一年）に、デナムやダン、ミルトンなどとともに取り上げられている。

★14　ジェイムズ・バーネット・モンボドー（一七一四～九九）はスコットランドの裁判官、人類学者であり、言語進化論を書いた。ジェイムズ・ハリス（一七〇九～八〇）は英国の学者、政治家であり、『ヘルメス、あるいは普遍文法に関する哲学的探究（*Hermes, a philosophical inquiry concernig universal grammar*）』（一七五一年）の著者。ウィザーズは不詳。キャンベルは前出（第3講★5）。

★15　以下の引用は松岡和子訳『オセロ』（シェイクスピア全集一三、ちくま文庫、二〇〇六年）四幕二場、一八五～六頁。

★16　英国の詩人、批評家、歴史家トマス・ライマーの著書『悲劇通覧（*A Short View of Tragedy*）』（一六九三年）でオセロの錯乱をあらわす語句。ライマーはこの悲劇論でシェイクスピアの戯曲とりわけ『オセロ』を酷評し、その後のシェイクスピア批評史における悪名を得た。

★17　ここで指示されている参照箇所は的外れで、誤記かと思われるが、不詳。

★18　引用は松岡和子訳『ヘンリー四世　全二部』（シェイクスピア全集二四、ちくま文庫、二〇一三年）、三二八頁。「レーテー」はギリシャ神話における黄泉の国の川で、その名は「忘却」の意。したがってこの隠喩では「ひたす」が無理なく用いられていることになる。

★19　コールリッジの詩篇「失意のオード（"Dejection: An Ode"）」（一八〇二年）中の一行。「自然は私たちの生きた魂のなかにのみ宿り／私たちの心次第で花嫁衣装にも死装束にもなる」と続き、知覚は内的直観の投影であるとする見方を表明している。引用は上島建吉編『対訳コウルリッジ詩集』（岩波文庫、二〇〇二年）、二九頁。

★20　コールリッジによる一八一六年刊の評論。引用は東京コウルリッジ研究会訳「第二部『政治家必携の書——聖書』（*The Statesman's Manual: or The Bible*）」、東京コウルリッジ研究会編『「政治家必携の書――聖書」研究――コウルリッジにおける社会・文化・宗教』（こびあん書房、一九九八年）、一二七頁、一六一～三頁。

★21　以下の引用はコールリッジのウィリアム・ゴドウィン宛書簡の一節であり、この書簡はリチャーズの著書『コールリッジの想像力論（*Coleridge on Imagination*）』（一九三四年）にも引用されている。ただし、書簡の日付は一八〇〇年九月二二日であり、一八一六年刊の『政治家必携の書』の「一九年前」というのは当たらない。同書簡からのもっと長い引用が本書一三一頁にあらわれる。

第6講　隠喩（承前）

それゆえ生命に関わる問題はことごとく、わたしたちの言葉の問題に帰するのです。つまり、わたしたちが互いに意思疎通するための媒体の問題です。なぜならば、生命に関わる問題はことごとく、わたしたち相互の関係の問題に帰するからです。

——ヘンリー・ジェイムズ『わたしたちの言葉の問題』

隠喩駆使力

前回の講義でわたしがケームズ卿の隠喩理論についてあれほど長々とお話ししたのは、彼が、わたしの知るかぎり誰よりも鮮やかに、従来の扱い方の限界を実例で示して、そういう限界がなぜ不必要であるかということを明らかにしてくれるからです。一九世紀後半に隠喩様式の研究が軽んじられたのは、思うに、ああいう問題の立て方が無益であり、新たな取り組みを開始するには時期尚早だと、大方の人びとが感じていたためでした。その機を熟させようとコールリッジやベンサムが尽力したにもかかわらず、いまでもその機が熟していると言えるかどうか、わたしにはわかりません。新たな試みもまた人為的、恣意的なものになる可能性が多分にあります。そうなったら、またもや、新たに生じた欠陥を探り当てることが前進するための第一歩になるかもしれません。この問題においては、暴露されうる誤りを犯すほうが、何もしないよりもいいのです。隠喩の働き方（つまり思考の進み方）についてなんらかの説明を立ててみるほうが、何も説明しないでいるよりもいいのです。ただし、わたしたちの立てる説明が実際に起きていることを正しくあらわしているなどと思い込まないことが、絶えず留意すべき前提となります。すなわち、自分の理論を自分の技能と取り違えたり、記述のための装置を記述そのものと取り違えたりしないことが前提です。そういう取り違えこそ、一八世紀の教理が例を見せているように、繰り返しあらわれる誤りであり、それに対して警戒していなければ、今後いかなる教理もその例になってしまいかねません。それはウィリアム・ジェイムズが《心理学者の誤謬》と呼んだものです。つまり、それだけを見るかぎりは結構かもしれない教理を、それが解明しようとしている過程そのものと取り違えてしまうことです。ブリッジズ[★1]の『美の遺言』から借りて言えば、

あたかも論理の混乱は
存在の第一条件であり、
ものごとの本質であるかのごとくである。そして人間は苦難の旅を続けながら
何ごとの意識もない状態から意識のある無知へ向かいつつ、
頼りない松葉杖を命の支えとなる重要器官であると取り違えた。

わたしたちが隠喩を扱う技能、想念を扱う技能は——不可思議で説明困難であり、この技能についてわたしたちが抱く反省的な覚知——きわめて不完全で、歪んでいて、あてにならず、過度の単純化を犯している覚知——とはまったく別物です。この覚知の任務は実践にとって変わることでもなければ、わたしたちにはできないとすでにわかっていることをどのようになすべきか、教えることでもありません。そうではなくて、わたしたちに自然にそなわっている技能を、それについての不必要に粗雑な見方に干渉されないように守ることです。そしてなかんずく、この技能——この隠喩駆使力——を頭脳から頭脳へ伝授する助けとなることです。また、この場合の進歩とは、技能を観察と理論に変換する際に、主にわたしたち自身の誤りから裨益されてもたらされるのです。

前回わたしは隠喩という用語の意味を拡げ、あるいは無理やり引き伸ばしました——ちぎれ

そうなくらいだと思われたかもしれません。わたしはこの用語を、ジョンソンの言い方を借りれば「ひとつの観念に対して二つの観念を与える」語があらわれる場合、わたしたちが語の異なる用途をひとつに合成し、あることをまるで別のことのように語る場合など、すべての場合にわたって用いました。さらにわたしは、あることを別のことに置き換えて知覚したり、考えたり、感じたりする操作まで、隠喩的なものであると見なして隠喩のなかに含ませました――たとえば、建物を見て、それには面があり、独特の表情でこちらに向いていると表現するような場合です。わたしが主張したいのは、発達した知覚においてこの種のことがあたりまえに起きているということです。そしてわたしたちの知覚の成長（子どものアニミズム的世界など）を研究すれば、そうでなければならないとわかるということです。

これからまず、もっとも簡単でもっともなじみのある隠喩のお話をしましょう――たとえば「テーブルの脚」です。これは死んだ隠喩と呼ばれますが、すぐに息を吹き返します。さてこれは、たとえば「ウマの脚」のような、この語の飾り気のない、文字通りの用法とどれほど違っているでしょうか。すぐにわかる違いは、テーブルの脚にはウマの脚に見られる特徴のうちの一部しかないということです。テーブルはその足で歩いたりしません。テーブルを支えるか何かしかしません。こういう場合、共通の特徴は隠喩の根拠と呼ばれます。ここではその根拠が簡単に見つかりますが、見つからない場合も少なくありません。隠喩は、それがいかに働いているのか、意味の変動が起きる根拠をなしているのは何なのか、わたしたちには多少とも自信をもって言えない場合であっても、みごとに作動することもあるのです。悪態や愛情表現をあらわす隠喩をいくつか考えてごらんなさい。たとえば誰かをブタとかアヒルとか呼ぶ場合、その根拠としてブタやアヒルとの実際の類似点を探しても無駄です。誰かをアヒルと呼んでも、相手に嘴があるとか、水かきがあるとか、食べたらおいしいとか、そんなことをほのめかしているわけではありません。意味の変動が起きる根拠はもっとずっと難解です。『オックスフォード英語辞典』は、この用法の「アヒル」に「可愛らしいまたは魅力的なもの」という定義を与えて、それらしく匂わせています。ここにおける根拠をごく単純化して説明すれば、次のようになるでしょう。すなわち、アヒルに対して抱く可能性のある、たとえば「やさしさやほほ笑ましさをともなう好意」といった感情が、人に対しても感じられているというところでしょう。

こうして、主意と媒体という両者間の何か直接的な類似を通じて作動する隠喩と、両者どちらにも（しばしば偶然的で外面的な理由から）寄せられうる何か共通の気持を通じて作動する隠喩とのあいだに、ごく大ざっぱな区別を立てることが可能です。この区別はもちろん決定的でも不可逆的でもありません。わたしたちが両方とも好んでいるというのは、ある意味では両者が共有している共通の特質です。もっとも、他方で、両者がまったく異なるとすぐに認めてもかまいません。わたしがタバコと論理を好むからといって、好きだということがこれら二つに共通するとても目立った特徴とは言えないでしょう。しかし、この区別は、あまり深遠なことまで明らかにしてくれないとはいえ、ある程度は、この分野における最悪の罠のひとつを回避する助けになるときもあります――つまり、隠喩がいかに作動しているのかがわからなければ隠喩は有効にならない、とする思い込みを回避するのに役立つかもしれないのです。

もう一度「脚」の話にちょっと戻りましょう。あそこでも字義通りの用法と隠喩的用法との境目がそれほど固定されたものでも安定したものでもないことは、わたしたちにもわかっています。何に対してこの語を字義通りの意味で使えるでしょうか。ウマは文字通り脚をもっています。クモもそうです。でもチンパンジーはどうでしょう。脚を二本もっているのでしょうか、それとも四本でしょうか。ヒトデはどうでしょう。あれがもっているのは腕でしょうか、脚でしょうか、どちらでもないのでしょうか。また、人間が義足をつけている場合、それは隠喩的な脚なのでしょうか、文字通りの脚なのでしょうか。この最後の問いに対する答えは、両方だということになります。ある点から言えば文字通りだし、別の点からは隠喩的だからです。ある語は、同時に字義通りかつ隠喩的でありえます。多くの異なる隠喩を同時に支えうるのとちょうど同じ伝です。つまり多くの異なる意味をひとつの意味に絞り込む役割を果たしうるということです。この点はかなり重要です。なぜならば、誤った解釈の大部分は、ある語がひと通りの働き方をしていたら、同時に他の働き方をすることも、同時の他の意味を有することもできないと思い込むことから生じているからです。

したがって、ある語が文字通りの意味で使われているのか、あるいは隠喩的な意味で使われているのかは、必ずしも容易に決められる問題ではないし、実のところ容易に決められる問題でないことのほうが通例なのです。その暫定的な解決は、所与の事例においてその語が伝えている観念は二つなのかひとつなのかを見定めることによって、図られるかもしれません。つまり、前回わたしが提起した用語を使えば、その語が主意と媒体の両方をあらわし、両者が包括的な意味のなかで協働しているのではないかを見定めるのです。もし主意を媒体から区別できないようであれば、その語は文字通りの意味で使われていると、暫定的には受けとってもよいでしょう（原注）。もし少なくとも二つの協働的な用法を区別できるなら、そのときは隠喩になるわけです。

（原注）これには相の選択や、事物形成ないし観念形成についての仮説がともないますが、それの検討にはさらに議論を展開する必要があるでしょう。

たとえば、ハムレット[★2]の次のような台詞があります。「俺のような男が天と地のあいだを這いずりまわり、いったい何をしでかす。」あるいは、スウィフト[★3]がブロブディンナグの王にガリヴァーに対して言わせている、次のような言葉があります。「お前の国の大多数の国民は、自然のお目こぼしでこの地球上の表面を這いずりまわることを許されている嫌らしい小害虫のなかでも、最も悪辣な種類だと、断定せざるをえないと思うのだ。」これらの「這いずりまわる」は、文字通りと隠喩的、どちらの用法と見なすべきでしょうか。

わたしの答えは両方とも隠喩的であるということになります。ハムレットも国民も文字通り這いずりまわることがあります——幼児や大物狙いの猟師がそうすることは疑いありません。しかしいずれの引用文においてもまぎれもなく、這いずりまわる他のものへの参照が見られます。きたない昆虫、害虫の動きへの参照です。そしてそういう参照が媒体であり、ハムレットや国民やその生き方が主意なのです。もちろん、この基準に従えば、自由なあるいは流動的な言述にあらわれる文はたいてい隠喩的だということになります。字義通りにとらえられる言語は、科学の中心的な部分を除けば稀です。わたしたちがそんな言語を実際よりももっと多く目にしていると考えるのは、語に単一の固定した意味を帰属させる、例の慣用法教理の影響を受けるためです。だからこそわたしはこの連続講義のなかで、あの教理に猛反対することにこれほど時間を費やしてきたのです。

さてここで、主意と媒体とのあいだのいろいろな関係を多少見てみましょう。まず、隠喩には比較が含まれているという、みなさんがいたるところで目にする言辞から始めるのが便利です。比較とは何でしょう。いくつかの異なることでありえます。ただ二つのものを組み合わせていっしょに働かせるだけのことかもしれません。二つのものがどれほど似通い、どれほどたがいに違っているかを突きとめるために両方を調べることかもしれません。両者の類似点に注意を喚起しようとする過程のことかもしれないし、一方のいくつかの側面に注意を向けさせようとして併存する他方に頼る方法のことかもしれません。比較という言葉がこれらさまざまなことを意味しているのですから、わたしたちは隠喩についてさまざまな考え方にたどり着きます。類似点に注意を喚起するという意味にとれば、一八世紀主流の隠喩教理になります。たとえばジョンソン博士は、テムズ川を謳ったデナム[★4]の詩行を褒めて、「具体的な類似がきわめて細心に集められている」と言っています。その詩行とは以下の通りです。

ああ、汝のごとく我もまた流れることができたなら。汝の流れが
我が主題になるごとく、我が偉大なる模範となりえたなら！
深くしてなお澄明、従容としてなお緩慢ならず、
強大にして猛からず、氾濫することなく充ち満つる。

ここでは詩人の心の流れと言ってもいいものが主意であり、川が媒体です。分析の練習になるので注目してもいいのは、最後の二行に見られるように、主意と媒体の相対的位置や両者間の変動の方向が繰り返し交替していることです。「深くしてなお澄明」という語句は、媒体である川を文字通りに記述し、心については派生的ないし隠喩的に記述しています。「従容としてなお緩慢ならず」のなかの「従容」は、間違いなく主意である心を文字通り記述しており、川については反対に媒体として派生的に記述しています。しかし「緩慢」は、ふたたび川につ

いての文字通りの記述から心についての隠喩的記述へ変動しています。「強大にして猛からず」は、わたしの見方では疑問の余地なく心から川へ変動してるし、「氾濫することなく充ち満つる」は、またふたたび川から心へ変動する格好になっています。そうではないでしょうか。以上の考察に当たって一貫して決め手になるのはもちろん、語源ではなくて、わたしたちがこれらの語句をどう受けとるかということにかかっています。

こういう細々した順序などは重要でなく、それ自体としては気にすることもないでしょう――とはいえ、そういうことに気をつければ、この分野全体の方法にほかならない特殊な注意力を鍛える訓練になります。そのうえさらに、変動の方向がこのように交互に交替していることが、この二行連句詩のちょっと謎めいた魅力、つまりそれが記述しているものを描き出す手法と、少なからぬ関係があるかもしれません。

深くしてなお澄明、従容としてなお緩慢ならず、
強大にして猛からず、氾濫することなく充ち満つる。

そしてまた、そのことは、「最後の対句の流れはとてもなめらかで美妙だから、いくら褒めても褒めすぎと見なされることがなかった」とジョンソンがいみじくも指摘していることにも、いくらか関係があるかもしれません。

「(主意と媒体とのあいだの) 具体的な類似がきわめて細心に集められている」というジョンソンの評言は、隠喩がそなえるべき比較についての一八世紀に典型的な考え方を示しています。つまり比較とは類似点を指摘してゆく過程――具体的類似を細心に集めることだというのです。しかし、これはこれらの詩行がいかに働いているかということについての説明としては、ほんとうは当たっていません。「深い」、「澄明」、「従容」、「強大」、「充ち満つる」などが川と心にあてがわれるときの意味や含意を、注意深く気をつけて検討すればするほど、媒体と主意との類似には重要性がないことがわかってくるし、媒体である川は、川については言えないことを心について言うための口実であるみたいに思えてきます。「深い」を取り上げてみましょう。川に関してこの語が帯びる主たる含意は、「簡単には渡れず、危険で、船舶の航行が可能で、もしかしたら泳ぐに適している」といったところでしょう。心にあてがわれた場合この語は、「謎めいて、多岐にわたる事柄をこなし、知や力に優れ、容易に説明をつけられず、真摯で重要な理由にもとづいて働いている」といった意味合いになるでしょう。この詩行が心についてい言っていることは、川に由来する何かではありません。しかし川は単なる口実でもなければ、ただの飾りでも、精神に効く丸薬の金箔でもありません。媒体は主意が形をとる際のあらわれ方を制御しています。川を、まあ、一杯の紅茶(!)なんかに置き換えてこの行を読んでみれば、それがただちにわかります。

深くしてなお澄明、従容としてなお緩慢ならず、
強大にして猛からず、氾濫することなく充ち満つる。

類似点を強調するものとしての比較だけがこの隠喩の働き方ではありません。もっとも、一八世紀の著作ではそうなっているのが通例です――そこでは普通、主意が隠喩のなかのもっとも重要な役割を演じてもいます。比較に関するこれとは正反対の考え方――二つの事物を単にくっつけてどうなるか見てみようという考え方が、現代流行の逸脱志向であり、極端な事例を規範であると解するのです。次の例をご覧ください。わかりやすく誇張された形になっていますす。これは、フランスのシュールレアリスト集団の指導者アンドレ・ブルトン★5がこの教理をごく平明に述べている箇所です。

「互いに可能なかぎり遠く隔たっている二つの対象を比較すること、あるいは、まったく別の方法だが、それらをだしぬけで心を打つやり方で出会わせること、これは詩が志向しうるもっとも高い務めでありつづける。」(『通底器』)。

「それらをだしぬけで心を打つやり方で出会わせること」――"les mettre en presence d'une manière brusque et saisissante."「詩が志向しうるもっとも高い務め」なるものがこれです!これはちょっと検討に値する教理ではありませんか。隠喩が機能するのは「実際にはできるはずもない同一化」を企てるときであると(『文学精神』で)主張するマックス・イーストマン

氏[★6]と同様に、ムシュー・ブルトンは、何が何とくっつけられるべきか、考える必要を認めないのです——二つが互いにかけ離れてさえいれば十分だというわけです。また、こういう語のつながりから生じるとてもさまざまな効果を区別するわけでもありません。これはジョンソンとは正反対の立場です。なぜなら、ジョンソンは比較がカウリーの場合のように「こじつけ」になることに反対しているのに対し、こちらではこじつけの度合いが大きいことこそ長所とされるからです。イーストマン氏も、ちぐはぐなものの結合から生じる効果を精密に見極めることに対するこの無関心を共有しています。彼にとって詩人とは、「他所では味わえないような経験を伝える」者であり、そうするために詩人は、イーストマン氏曰く「ある反応をかき立てながらそれを妨げ、われわれがなんらかの生——どんな生であるかはどうでもいい——を経験していると、完全に自覚させるのに不足のない、正確に計算された緊張を、われわれの神経組織のなかに作り出すのである」(『文学精神』二〇五頁)。「どんな生であるかはどうでもいい」ですって？　これは確かに英雄的な言いぐさです。人間を縛りつけておいて灼熱した火掻き棒をもち、近づいていってごらんなさい。それである反応をかき立てておいてから、不足のないところまでやったあとでそれを中断したら、なるほど、この人になんらかの生を経験していると完全に自覚させることになるでしょう。これと同様の英雄主義が今日の広範囲の文学理論や実作に取り憑いています——シュールレアリストの人為的パラノイア信奉にのみ見られるわけではありません。これは、わたしの思うに、隠喩の作動様式についての粗雑な考え方から生じています。

方です。

先週お話ししたケームズ卿に見られたような捉え方に対する、過度の反発にほかならない考え方です。

きわめて異なる種類の経験に属する二物を――唐突でぎょっとするようなやり方で――くっつけたとき、頭のなかでどういうことが起きているのか、もう少し詳しく考えてみましょう。起きていることのなかでもっとも重要なのは――全般的混乱をともなう胸騒ぎや緊張に加えて――二物を結びつけようとする頭の奮闘です。頭は結びつけようとする器官です。それは結びつけることによってのみ作動し、限りなく多くのやり方でいかなる二物をも結びつけることができます。そのなかからどのやり方を頭が選ぶかは、何かもっと大きな全体ないし目標に照らして決められます。そしてわたしたちにはその目標を突きとめることができないかもしれませんが、頭が目標を欠くことはけっしてありません。いかなる解釈においてもわたしたちは、結びつけ方を探し出して補塡する作業に従事しているのです。そして詩に関しては、この補塡をする自由がわたしたちにあるということ――目標にいたるまでの道筋が明示的に述べられていないということ――それこそ詩の力の主たる源泉なのです。エンプソン氏[★7]が(その著書『曖昧の七つの型』、三二頁)でうまく言いあらわしているとおり、「二つの陳述が、まるで結び合わされでもしたようにひとつになっていて、読者は、その関係を考えないではいられない。ひとつの詩のために、なぜこの二つの事実が選び出されたのか、その理由を見つけることは読者にまかされている。読者はさまざまな理由を考え出し、心のなかでそれらをまとめる。これこそ、言語の詩的な用い方に関する本質的な事実であるとわたしは思う」というわけです。わたしに言わせていただければ、読者はさまざまな結びつけ方を試してみるでしょうが、この実験こそ——もっとも単純なものからもっとも複雑なものまで、また、もっともわかりきったものからもっとも晦渋なものまで、いろいろな結びつけ方を補填してみる実験こそ、あらゆる流動的な言語に意味を付与する運動にほかなりません。

くっつけられた二物が縁遠くなるにつれて、作り出される緊張が大きくなるのは言うまでもありません。この緊張は弓のバネであり、射る力の源です。しかし、弓の強さを弓射の的確さと取り違えてはなりません。すなわち緊張を目標と取り違えてはいけないのです。また、困惑はすぐにうんざりしてくる経験であって、それも当然のことです。しかし、周知の通り、とんでもない結びつけ方と思われるもの、すなわち「実際にはできるはずもない同一化」も、的を射たヒントが言述の他の部分からやってきてくれるなら、すぐにわかりやすく頼もしい調停役に転ずることがありえます。ここに実例があります。

最近のある軽率な物書きがこんなことを言っています。「英国では「家」という記号が、多くのさまざまな種類の家を意味する表象になっている。隠喩的にはその意味作用があまりにも一般化しているので、もっと多くの他のものまで意味するほどである。しかし、たとえば「パン」と同じ意味作用を有することはほぼありえない。」

こうなると問題が突きつけられます。「パン」が家をあらわす隠喩になっているか、あるいは「家」がパンの隠喩になっている場合をみつけよ、というわけです。いくつか見つけ出すのは難しくないとわたしは思います——しかしここではかなりわかりやすい例をひとつ、ジェラード・マンリー・ホプキンズから借りてきましょう。[8]『ラッパ手のはじめての聖体拝領』というちょっと悩ましく悲しい詩の一行ですが、この詩でホプキンズは聖餅を神の住まいであると語っています。以下のとおりです。

木の葉のように薄い聖餅のなかにそっと掛け金かけておわすあまりにも巨大な神性

ここでは確かに、聖餅（housel）を小さな家（housel=the little house）とすることになんの緊張もありません。[9]

しかし、この結びつけ方をわかりやすく素朴なものにしているのは、この詩の他の部分のおかげであり、そのことが一般的真理を例示してくれています。頭脳はいつも結びつけ方を見つけようとするものであり、それを探すにあたって発語の他の部分や状況を手がかりにしようとするものなのです。

そこでわたしの結論を言えば、「何であろうとどうでもいい——これらを無理やりくっつけろ」式の粗雑な隠喩観を食い物にする現代のこういう論者たちは、解釈過程の副産物とさんざん戯れながら、批評理論のもっと重要な関心事を無視しているということになります。だがそれでもやはり、こういう誇張した議論を検討することからひとつの重要な核心が浮かび上がってきます。つまり、主意と媒体の相互作用が両者の類似に限定されなければならないなどということ、一八世紀と同じ思い込みをしてはなりません。相異の作用もあるのです。ハムレットが「這いずりまわる」という語を用いるとき、その迫力は、いかなるものであれそれが持ち込む害虫との類似点からのみ生じているのではなく、少なくともそれと同じくらい、そういう類似点の影響にさからい制御する差異からも生じています。そこにおける含意は、人間がそんなふうに這いずりまわってはならぬということにあります。そういうわけで、隠喩が招来する同一視や融合についてのおしゃべりは、ほとんどつねに人を惑わせる有害なものです。一般的に言えば、主意と媒体のあいだの相異点が相似点に劣らず有効でないような隠喩はまずありません。いくらかの相似点は変動の見かけ上の根拠になっていることが普通ですが、媒体がもたらす主意に対する独特な変容は、両者の似ている点よりも似ていない点が作動した結果であることのほうがさらにもっと多いのです。

このことは、わたしが信じるに、文学の実践と理論にとって数え切れないほど多くの点で、とても重要な帰結をもたらします。このことについての分析が不十分だったために、偽の教理や粗雑な読みに陥るのみならず、文章を書くときに言葉を意思疎通手段としての言語の本質と矛盾するやり方で働かせようとする誤りが犯されてきました。まず、偽りの教理の危険から取り上げましょう。現代の批評家のなかでもっとも影響のある人物のひとりはT・E・ヒューム★10

でした。彼が大戦で亡くなったことは、多くの理由でとても大きな損失でした――なかでもおそらく最小の理由と言えないのは、彼の隠喩に関する教理が中途半端な段階にとどまったことがあります。彼ならきっとその教理をさらに発展させたにちがいないとわたしには思えるからです。この一九年間――そしてとくに「現代芸術」と「ロマン主義と古典主義」に関する彼の論文が、『思索』と題された書物に収められて一九二四年に出版されて以来――猛威をふるってきた感染力をそなえる解釈を通じて遺されたままの教理としては、彼の隠喩観は、わたしから見るとこのうえない悪影響を与えてきたと思われます。

曰く（一三七頁）「平板な言葉は本質的に不正確なものである。それはただ新しい比喩によってのみ、（中略）精確なものとすることができるのである」。これは、みなさんにもおわかりでしょうが、シェリーの主張を繰り返しているだけです。だからわたしたちもこれを受け入れることはできますが、ここで「新しい」と言っていることの含意には、異議を申し立てたい部分もあります――ヒューム自身もほのめかしている異議です。これよりも先の箇所で彼は、「芸術作品は卵ではない」から、新鮮でも産みたてでもある必要がないと言っているのです。なのに彼は、隠喩が目ざすとしている精確さについてあれこれと注文をつけました。そしてそこにこそ誤りを招く隙が生じます。曰く「大目標は、正確、精密、明確な表現ということである」。流動的言述たる詩は、散文と対立し、彼の考えによれば、「計数器式の言語でなく、視覚的、具体的な言語である。それは、感覚をそっくりそのまま伝えようとする直覚の言語に対するひとつの妥協である。それはつねにわれわれの注意をとらえ、われわれに引きつづき具象のものを見失わせまいとし、われわれの抽象的過程にすべりこむのを遮ろうとつとめる」。

この論述に喧嘩を売りたい点がわたしには三つあります。その第一は、この「つねに」が問題です。シェイクスピアを思い出してさえいただければ、詩の言語がこのようなたぐいのことを「つねに」するなんて、みなさんもおっしゃらないでしょう。第二の文句をつけてやりたいのは、「視覚的」とか「見」るとかの語に対してです。「われわれに引きつづき具象のものを見失わせまいとし、われわれの抽象的過程にすべりこむのを遮ろうとつとめる」だなんて。これは明らかな偽りです。

少しでも俺を大事に思うなら
しばらくは天に昇る至福をあきらめてくれ。
苦しいだろうが、すさんだこの世で生きながらえ
俺のことを語り伝えてくれ。★11

これを読んでいるときに何ものにも目を据える必要なんかありませんし、これらの語句が、何かを見失わせまいとすることによって作動するものでないことは確かです。おまけに、すでに舞台に立っている俳優を注視しなければならないのですから。わたしが第三に文句をつけてや

りたいのは、抽象的なものに対するこの恐怖です。偉大な詩の言語はきわめて抽象的であることも多く、その目標はまさに読者を「抽象的過程にすべりこむ」ようにさせることなのですから。

あれがあの人か。違う、あれはディオメデスのクレシダだ。
美しい女に魂があるなら、あれはあの人ではない。
魂が誓いを守るなら、誓いが神聖なものなら、
神聖なものが神々の歓びなら、
唯一のものは二つにならないという法則どおりなら、
あれはあの人ではない。[★12]

ここでわたしたちがシェイクスピアから求められているのは、美を知覚せよということではなくて、「唯一のものは二つにならないという法則」というような隠喩的議論を通して美を理解せよ、そして魂の成長に美が演じる役割を理解せよ、ということなのですから。

抜け目がなく鋭敏なヒュームともあろう著者が、こんなぶざまなへまをやらかすなんて、原因はいったい何だったのでしょうか。その説明の仕方は、わたしから見ると二通りありますが、

それらは結局つながっています。ひとつ目は、彼が「見る（see）」という語を、隠喩的に使っていないかぎり自身の教理によっても許されないはずなのに、文字通りの意味で使っていると思い込むという錯覚に自らとらわれているということです。言うまでもないことですが、議論の最中に「きみの言いたいことはわかった（see）！」と言えば、わたしたちは見る（see）という語を隠喩的に使っています。だから、ここでヒュームが「見失わせまい」とか「視覚的」とか書いたとき、これらの語はやはり隠喩的に解されるべきであって、さもなければ、この教理はたちまち唾棄されねばなりません。言述が「つねにしようとしている」ことは、そのときに意味されつつあることを、それが何であれ把握し、理解し、諒解した感覚を獲得し、取り込むことです——それがなんらかの物理的なものであるとは限りません。しかも、「諒解した感覚」と言っても、これが感覚的知覚から得られるようななんらかの「感覚」では必ずしもなく、感情や想念かもしれない、ということを忘れないようにしなければなりません。不可欠なのは、それが何であれほんとうにそれを取り込み、十分に意識することです。

「見る」という語について犯されたこのへまは、あまりにも粗雑で、ありそうもないと思われるかもしれません。しかし、大勢の教師たちは詩の鑑賞を教える授業で、視覚化が注意力をそらすだけでなんの役にも立たないような場合にも、子どもたちに（また大人たちにも）視覚化させようとして、忍耐強い苦労を日々払っています。そして数ヶ月おきに、ひたすらこのばかばかしいほどの誤った言語観をあおり立てる小さな本があらわれるわけです。というのも、言葉は「感覚をそっくりそのまま伝え」ることなんかできないし、またするべきでもないからです。言葉にはもっとはるかに重要な役目があります。言葉を用いる言語は、「直覚の言語に対するひとつの妥協」――ほんとうの経験に取って代わる薄っぺらな、ないよりはましな程度の代用品――であるどころか、うまく使われさえすれば、一個の完成品であって、感覚に頼る直観だけではできないことをやってのけます。言葉は、感覚や直観ではけっして結びつき合えない多くの経験が結合し合う結集点です。頭が自らを秩序づけようとして営む果てしのない努力にほかならないあの成長の、現場でもあり手段でもあります。だからこそわたしたちには言語があるのです。それは単なる信号体系などではありません。わたしたちの際だって人間的な発達全体を助ける道具であり、わたしたちが他の動物を凌駕する要素すべてを育む道具なのです。

　そういうわけで、言語をそれが復元する感覚を通じてのみ働くものとして描き出すのは、作動過程全体を逆さまにすることになります。そんなことをすれば、詩人が書くときに用いるのは、想念ではなく（あるいは観念でも感覚でもなく、信念や欲望や感情でもない、と付け加えてもいいでしょう）言葉なのであるという、マラルメの格言[★13]にこめられた核心を見落とすことになります。そこでコールリッジは問いました。「言葉は植物[★14]の一部であり発芽ではないのか。そしてその成長の法則はどのようなものなのか。この種の方向性においてわたしは、言葉とものとをアンチテーゼとする昔ながらの捉え方を打破するように努めたい。あたかも言葉をものに高め、また生き物にも高めてみせることによって。」わたしたちは隠喩の有意義な研究をしようとするなら、まさにこのようにしなければなりません。ヒュームや学校の教師たちは、言語をまるで視覚化を促す刺激にすぎないかのように扱うことによって、言語のもっとも重要なことをことごとく忘れているのです。彼らはイメージが語の意味を充塡していると考えています。それはむしろ逆立ちした見方です。語こそが、イメージやその元となる知覚には欠けている意味をもち来たしてくれるのです。

以上が、思うに、これらの混乱した思考が生じる原因についての第一の説明方法です――「見る」や「知覚する」を広く開かれた隠喩的意味ではなく、文字通りの意味に取り違えているというのです。しかし、第二の仕方による説明は、もっと根深い問題に行き着きます。こちらの取り違えは、わたしが主意／媒体の対立と呼んできたものを、隠喩（主意と媒体が二重になって含まれている単位）とその意味との対立と解するところに生じているのです。これら二つの対立は確かに混乱を引き起こしやすく、両者の区別をきちんと維持するのは難しい――とりわけ、前回実例をあげたように、「隠喩」という語（およびその同義語）が、ときには「媒体」を意味したり、ときには「媒体と主意とが一体になったもの」を意味したりする状態では、困難です。こういう意味の変動をうまく押さえ込み、たぶらかされないようにしていくには、慣れる以外にありません。ヒュームはこの点でたぶらかされたのだ、とわたしは思います――他の人たちがたぶらかされていることも、わたしは現に知っています。「大目標は、正確、精密、明確な表現ということである」と彼が言うとき、「言葉がわれわれに、何であれそれが意味するものを十分に正しく意識させなければならない、言語はその意味をほんとうに発しなければならない」ということしか言っていないのならば、わたしたちも同意できます。すなわち、隠喩（主意も媒体もいっしょになった全体）は、意味するべきことを意味するべきだということなのですから。しかしヒュームは自分の所見を、媒体と主意とのあいだの対応関係に必要とされる的確さが求められるというような言い方に変え、そのために偽りのコメントにしてしまっています。「平板な言葉は本質的に不正確なものである。それはただ新しい比喩によってのみ、（中略）精確なものとすることができるのである。類比（アナロジー）が表現せられるものに十分匹敵するだけの関連をもたないとき、それがその表現するものに押しかぶさって、若干あり余るもののある場合」、その比喩は劣っているというわけです。「しかし、類比がどこまでも、私が先に述べたような意味での正確な表現に必須なものであり、（中略）もしその類比の全体が、われわれの表現しようと思う感情あるいは事物の曲線を的確にあらわすためになくてはならぬ場合に、それが正確な意味において誠実であるとするならば、――私にはこの場合、最高の詩が獲られているのだと思われる」、そうヒュームは言っています[★15]。このコメントの一部でヒュームは隠喩全体とその意味について考察しています。だが、残りの部分では媒体と主意について考えているのです。隠喩全体とその意味に関して言うまでもなく真理であることを何か言っているために、媒体と主意の対応に関する偽りの見方にまぎらわしいもっともらしさが付与されるわけです。ヒュームはこれら二つの対を区別していないようです。そしてこれらを混同するのは、化学で分子と電子の複雑さの程度を取り違えたり、代数で括弧を無視したりするのと同じくらい致命的です。言語は意味するべきことを意味するべきだなどという自明の理に自信をもつあまり、彼は（その文章にあらわれているように）、主意は媒体に対応しなければならない——類比の全体が曲線を的確にあらわすためになくてはならぬものでなければならない——などと確信するにいたっています。そしてこれは、わたしが読み取った意味においては自明の理ではなく、容易に反証できる誤りであり、現代で広くおこなわれている謬見です。

ひとつには、いかなる類比にも全体などはありません。わたしたちはそのなかの必要な分だけ利用するのです。そしていかなる類比も無思慮に拡げられすぎると、破綻をきたすことになります。主意と媒体の関係には、ヒュームが言うような限界などありません。この教理の結果は、現代の散文がその極致においてあまりにもしばしば陥いる、あの情熱のこもった過敏なくらいに繊細な試みにあらわれるとも言えます。すなわち、知覚や感情を言葉で模写しようとし、「感覚をそっくり伝えようとする」試みです。言葉は実世界を模写するための伝達手段ではありません。言葉のほんとうの任務は実世界それ自体に秩序を取り戻してやることです。

主意／媒体関係を、主意＋媒体とこの対が意味するものとのあいだの関係と取り違える誤りは、（限られた見方からすれば）文学的な問題と見なされがちなのですが、そんな域を超える結果ももたらします。その結果は、わたしたちのもっとも重要な問題すべてに対するわたしたちの向き合い方にも影響を及ぼします。たとえば信念の問題にもです。ある発語を理解しようとしたら、それが言っていることを信じなければならないでしょうか。《神曲》や《聖書》は、それを正しく読もうとするなら真として受け入れなければならないようなことを言っているでしょうか。こういう質問には、隠喩的な発語が何かを言ったり語ったりするときの表現法について明確に理解していないかぎり、満足に答えられるはずもありません。エリオット氏はどこかで、《神曲》とは詩全体が一個の巨大な隠喩であると述べています。そのとおりです。だが、もしそうだとしたら、そのなかの何を信じることができるのでしょうか。主意でしょうか、媒体でしょうか、それとも二つが結合して呈する表象でしょうか。それとも、主意と媒体とがそこでかくかくの関係にあるということでしょうか。あるいは、信じることは求められていないのでしょうか。それはちょうど、いくつかの問題に関し、合成された意味に従って感じ、意志し、生きねばならないという覚悟を求められていないのと同じことでしょうか。わたしたちがその意味を把握するかぎり――あるいはむしろ、その意味がわたしたちを把握し、とらえ、支配するかぎり、それ以上の覚悟は求められていないのと同じでしょうか。わたしたちは発語を文字通りに受けとることと、隠喩的ないし聖書解釈的に (anagogically) 受けとることとを区別することに慣れています。しかし、もっとも単純に言っても、考察されるべき解釈には少なくとも四つの様式があり、二つではすまないのです。そして妥当な種類の信じ方も、通例はそれぞれ異なってきます。主意を抜き出してきて、それをひとつの言明として信じることができます。あるいは、媒体を抜き出してくることもできます。あるいは、主意と媒体をいっしょにもってきて、両者の関係についてのなんらかの言明を受け入れるか撥ねつけるか、考えることもできます。あるいは、両者がいっしょになってわたしたちの生活に与えようとする方向性を、受け入れたり撥ねつけたりすることもできます。なにもアレクサンドリア学派★16の初期キリスト教解釈や、他の宗教のそれに類した解釈学的展開にまで目を向けなくても、前述の四択が信念にもたらす結果がいかに甚大かを示す例は見つかります。いかなる隠喩的発語に対しても理解の仕方はさまざまな可能性を孕んでいるということが、それを示してくれます。

「隠喩駆使力」――隠喩解釈駆使力――は、さらに奥深く、わたしたちが生きるために自ら作る世界の制御にまで及ぶこともありえます。精神分析学者は「転移」――隠喩を呼び換えたもの――について議論することを通じて、一組をなす事物や人物に対して形成されてきた見方や愛し方や振る舞い方が、いかに絶えず変動させられて別の一組に対するものに変わってしまうかということを、わたしたちに教えてくれました。精神分析学者が教えてくれたのは主に、そういう転移の病理、つまり、媒体――比喩的な借り物としての態度、たとえば両親への固着――が、新たな人間関係という主意を引きまわし、不適切な行動を引き起こすというような事例でした。この病理の患者は新たな人物に出会っても、古い情念やそれにともなう偶然事に関連させずにはいられないのです。新しい状況を読もうとしても、喩え、原型的イメージ、つまり媒体に関連させてしか読めないのです。しかし、健全な成長を遂げた人の場合は、主意と媒体――新しい人間関係と家族内相互関係――が自由に協働します。それで合成されてあらわれる行動は、両方からの要素が妥当な按配に結びつけられています。そういうわけで、幸福な生き方においては、如才なく炯眼な読解におけるのと同じやり方が模範とされ、誤読と同様な危険性が忌避されるのです。解釈過程一般に通じる形式に変わりはありません。小規模な審級——文彩としての喩えに対する正しい理解——か、あるいは大規模な審級——友情に支えられた行為——をともなっているか、だけの違いしかありません。

しかし、文学的な審級のほうが議論しやすく、調査研究に適しています。そのうち心理学はわたしたちに心について多くのことを教えてくれるようになるかもしれず、ついにはわたしたちが言葉で何を意味しているか、いかにしてそれを意味しているか、多少とも確実性をもって知ることができるようになるだろう、というのが昔からの夢です。これと反対のあるいは補完的な夢は、レトリックを十分に改良すれば、わたしたちもそのうち言葉について大いに学ぶことができるようになり、おかげで言葉がわたしたちの心の働き方を教えてくれるようになるだろう、ということです。これら二つの夢を結びつけて、《レトリック》の諸問題に辛抱強くつきあっていけば、言葉についての誤った解釈の原因やあらわれ方を抉り出す一方、もっと深く由々しい混乱に対する矯正原理を照らし出して提起することもできるようになるかもしれないと期待しても、無理とは言えない、慎ましい願望だと思われます。わたしたちが日常犯す言語についての誤解に見られる小さく局所的な誤りは、わたしたちの人格的発達を妨げるもっと大きな誤りの小型模型であるからには、これらの研究は、いま起きているこれらの大規模な惨事がいかにしたら避けられるか、わたしたちにもっと教えてくれることもありうるだろうと期待したいものです。少なくともそれがプラトンの期待でした。諸科学にはたったひとつの目的しかないというのがスピノザの信念[★17]であったのと同じことです。すなわち、「まず何よりも先に、知性を矯正し、できるだけはじめにこれを浄化して、その結果、知性がものを首尾よく、誤りなしに、そしてできるだけ正しく理解するようになる方法を案出しなくてはならない」という信念と変わりありません。今回の連続講義は、《レトリック》研究はある意味で哲学的でなければならないと主張することから始まりましたが、最後は、プラトンがこの期待を神話として語っている、《ティマイオス》[★18]からの一節を引くことで終えてもいいでしょう。

「昼と夜が見られ、月や年の循環だとか、春分・秋分、夏至・冬至が見られたからこそ、それによって数が案じ出され、また時間の観念と、万有の本性についての探究がわれわれに与えられたのです。そしてこれらのものから、われわれはすべて哲学と名のつくものを手に入れたのですが、これよりも大きな善いものが、死すべき種族に対して神々から贈られて来ることは、かつてもなかったことですし、また未来においてもけっしてないことでしょう。」もしこの言葉を杠げて解釈すれば、これは神々に対する異常なくらい厳しい弾劾とも見えるかもしれません。しかしプラトンの真意は違っていました。「音声や聴覚についてもまた、視覚と同じことを意図して同じ目的のために神々から贈られたのだという、同じ説明が成り立ちます。というのはつまり、言葉にしても、これまたいま言ったまさにその目的に充てられていて、それに最大の寄与をなしているのですし、文芸（ムゥシケー）のうち、すべて、音声を聞かせる用をなす分野のものにしても、これまた、階調（ハルモニアー）のために与えられているのです。そしてこの階調というものは、われわれのうちにある魂の循環運動と同族の運動をもっているものなのでして、いやしくも理性に与り、そのうえで詩神たち（ムゥサイ）と交際をもつほどの人にとっては、それは、現在有用な点と思われているような、理屈ぬきの快楽のために与えられているのではなく、むしろ、われわれのうちにあって、調子外れになってしまっている魂の循環運動のために、これを秩序と自己協和へ導く友軍として、詩神たちから与えられたものなのです。（中略）ところが、われわれのなかの神的なるものと同種の動きと言えば、それは、万有のなす思考と、その回転運動がそれです。そこで、各人は、これらの運動の跡を追いながら、生まれたときにすっかり損なわれてしまった、われわれの頭のなかの循環運動を、万有の調和と回転運動に学んで矯正し、こうして、観察する側のものを、観察される側のものに似せて、前者を、その最初の本然の姿にかえさなければなりませんし、また、このようにして似せることによって、神々から人間に、現在に対しても未来に対しても課せられた、最もよき生をまっとうしなければならないのです。」

★1　ロバート・ブリッジズ（一八四四〜一九三〇）は英国の詩人。『美の遺言（*The Testament of*

Beauty)』（一九二九年）は彼の最晩年の哲学的詩集。

★2 松岡和子訳『ハムレット』（シェイクスピア全集一、ちくま文庫、一九九六年）三幕一場、一二四頁。

★3 ジョナサン・スウィフト（一六六七〜一七四五）。アイルランド生まれの英国文人、風刺作家。引用は平井正穂訳『ガリヴァー旅行記（*Gulliver's Travels*）』（岩波文庫、一九八〇年）、一八一頁。

★4 ジョン・デナム（一六一五〜六九）はアイルランド生まれの英国詩人。テムズ川流域を謳った風景詩『クーパーズヒル（*Cooper's Hill*）』（一六四二年）で人気を博した。ジョンソンは『イギリス詩人伝』でデナムについての評伝を書いている。

★5 フランスのシュールレアリスト詩人（一八九六〜一九六六）。引用は豊崎光一訳『通底器（*Les vases communicants*）』、『アンドレ・ブルトン集成Ⅰ』（人文書院、一九七〇年）、三〇一頁。

★6 米国の批評家（一八八三〜一九六九）。左翼雑誌『マッセズ』編集者として出発したが、一九三〇年代スターリン批判を経て保守化していった。『文学精神（*The Literary Mind*）』は一九三一年刊の著書。

★7 ウィリアム・エンプソン（一九〇六〜八四）は英国の詩人、批評家。『曖昧の七つの型（*Seven Types of Ambiguity*）』（一九三〇年）は、エンプソンがケンブリッジ大学でリチャーズの授業に出席して触発され、執筆しはじめた著書。引用は岩崎宗治訳『曖昧の七つの型』（岩波文庫、二〇〇六年）上巻八一〜二頁。

★8 英国の詩人（一八四四〜八九）、イエズス会司祭。引用は安田章一郎・緒方登摩訳「ラッパ手のはじめての聖体拝領」（"The Drummer Boy's Communion"）『ホプキンズ詩集』（春秋社、一九八二年）一六五頁を参照した。

★9「聖餅」はカトリックの聖体拝領の儀式に用いる聖体としての薄いパンである。これに「掛け金かけて」(latched) という語がかかることにより、housel が house の意を帯びる。-el は「……の小さなもの」の意を有する接尾辞だが、houselは本来「聖餅」の意味しかなく、語源的にもhouseとのつながりはないので、この釈義は一種の地口に依拠したものと見られる。

★10　英国の批評家（一八八三～一九一七）。軍人として第一次世界大戦中ベルギーで戦死した。リチャーズの講演は一九三六年に行なわれているので、ヒュームが亡くなってから一九年経っている。死後出版された『思索（*Speculations: Essays on Humanism and the Philosophy of Art*）』（一九二四年）の邦訳題は、原著の副題に基づき『ヒュマニズムと芸術の哲学』とされた。引用は長谷川鑛平訳『ヒュマニズムと芸術の哲学』（法政大学出版局、一九六七年）、一二七頁、一三〇頁。

★11　前掲書、松岡訳『ハムレット』五幕二場、二六六頁。

★12　引用は松岡和子訳『トロイラスとクレシダ』（シェイクスピア全集二三、ちくま文庫、二〇一二年）、一二三頁。

★13　アンリ・ドラクロア『芸術の心理学（*Psychologie de l'art*）』（一九二七年）のなかで、フランスの象徴派詩人ステファヌ・マラルメ（一八四二～九八）の言葉として伝えられる。

★14　コールリッジからのこの引用については第5講★21の注を参照されたい。

★15　この引用は★10の箇所の引用に続くくだりである。前掲書、長谷川訳『ヒュマニズムと芸術の哲学』、一三三頁。

★16　エジプトのアレクサンドリアは古代ギリシャ、ローマ時代における学問の中心地のひとつで、さまざまな分野の学問的業績を産み出したが、ここでとくに注目されているのは二～三世紀頃の聖クレメンス、オリゲネスなどの教父たちによるキリスト教神学であろう。

★17　引用は前掲書、畠中訳『知性改善論』、一九頁。

★18　紀元前四世紀頃のギリシャの哲学者プラトンによる対話篇『ティマイオス』の登場人物ティマイオスは、ソクラテスらを相手に、言葉を含めた万物、宇宙の創成神話を語る。引用の訳は種山恭子訳『ティマイオス』、『プラトン全集一二』（岩波書店、一九八一年）、七〇頁、七二頁、一七四―五頁。

解説

村山淳彦

《修辞学》は、周知のとおり西洋で二千年以上も前から考究・教授されてきた学科であり、中世以降の大学ではリベラル・アーツ=自由七科のひとつとして、社会の指導層が身につけるべき弁論・説得の技術に関する学問であった。しかし、個人的独創を旨とする近代になってからは、因襲的な約束事の伝授にすぎぬものとして疎まれ軽んじられていき、二〇世紀初頭までに急速に廃れてしまった。ところがどっこい、今日の理論思想状況を見渡せば、じつは《レトリック》がいつの間にか中心的問題になっていることに気づかざるをえない。《修辞学=レトリック》の地位は、凋落のどん底から広い領域に及ぶ思惟の焦点となり、言葉の使い方や解釈の仕方についてのマニュアル的な技術論から、思惟と言語の関係についての哲学的理論的考察へ浮揚してきたのである。

この大逆転ともいうべき経緯を佐々木健一は「レトリックの蘇生」と呼ぶ。そして「レトリックは死んでいた」という状態からの脱却に貢献した功績の「第一に挙げるべきは、I・A・リチャーズの『レトリックの哲学』であり、この著作のもととなったホノルル大学〔正しくはブリン・モー・カレッジ〕での連続講演の行われた一九三六年は、二〇世紀のレトリックの始まりを画する年である。この著作の重要性はいくら強調しても足りない」[★1]と述べている。本書はこの著作の日本語訳である。

I・A・リチャーズ（一八九三〜一九七九）は、英国ケンブリッジ大学で学び、教鞭を執り、のちに米国ハーヴァード大学教授になった批評家、英語教育者であって、詩作や劇作にも手を染めた。リチャーズは当初、哲学を専攻し、最初の著書がC・K・オグデンとの共著『意味の意味』（一九二三年）だったことにあらわれているように、はじめから言語論への関心が強かったと思われる。たしかに、『文芸批評の原理』（一九二四年）、『実践批評』（一九二九年）などのよく知られた著書で、それまで印象批評や伝記研究に偏りすぎていた文学批評研究に、「科学主義」とも受けとられた厳密性を持ち込もうとしたために、「新批評」を立ち上げた気鋭の文芸評論家として知られるようになった。だが、やがて米国のニュー・クリティシズムが隆盛を見るにつれて、リチャーズはこの潮流としっくりいかなくなったのではないかと見られる。しかも、一九六〇年代後半以後、新しい理論的な文学批評研究がニュー・クリティシズムに取って代わっていくにつれ、リチャーズの文学批評理論も顧みられなくなっていったようである。ところがリチャーズの死後、彼のレトリック論が見直されはじめ、本書『レトリックの哲学』（一九三六年）は、そのレトリック論を知るための著作として注目を浴びるようになってきたのである。

とはいえ本書はなかなか癖が強く、とっつきにくいとも見られそうである。原著の「はしがき」には講演記録の特徴をできるだけとどめようとしたと述べてあるが、そのせいか、原文にはわたしなどにはわかりにくいところがある。翻訳にあたりもっとも手を焼いたのは、引用の典拠表示がほとんどないことであった。現代の研究書に要求されるような書誌的記述などは、はじめからあまり気にかけていないようにも思え、典拠表示の省略は、講演記録ふうな書き方のせいばかりでないのかもしれない。わたしは、引用と思われる箇所についてできるだけ元の文献に当たり、既訳が手に入った場合はその箇所の訳文を参照することにかなりの手間をかけた。それでも浅学非才ゆえに典拠を突きとめられずに終わった箇所も残っているが、判明の場合はご教示くださると幸いである。

しかし、原文の理解に苦労するのは何もわたしだけではないらしいということが、『リチャーズのレトリック論』の編者アン・E・バートホフから教わった。彼女は「リチャーズが長年無視されてきた」理由の第一に「文体の問題」を挙げて、「彼は問題の難解さを前景化したいがゆえに故意に曖昧な用語を使う」と述べ、さらに、「しばしば魅惑的な余談」を差し挟むがゆえに「気が散らされ」、「彼の主張の道筋は見失われやすい[★2]」と受けとめている。だからリチャーズのレトリック論を系統立てて理解するために、彼の数々の書物から重要な箇所を抜粋し並べかえて提示する書物を編集せずにはいられなかったというわけである。

さらにまた、リチャーズの文章は、イギリスふうのウィットというものであろうか、随所でユーモアやアイロニーを湛えているので、これを誤解しないように気をつけていなければならない。ときにはぎょっとするような毒舌にも出くわす。この種の文章はわたしの得手とするところではないので心許ないが、リチャーズの文体の特徴が拙訳で捉えられているかどうか、読者の判断を待つしかない。

ユーモアと言えば、佐藤信夫が遺してくれた一連の著書[★3]に触れないわけにはいかない。本書の翻訳に従事するかたわらわたしは、絶えず彼のレトリック論を読み返していた。顧みれば佐藤は、リチャーズが一九二〇年代以降に取り組んでいたレトリックの蘇生という課題に、一九七〇年代以降に日本語の世界で取り組んでいたと見えてくる。わたしには、佐藤の同僚として大学語学教師を勤めた数年間の幸せな経験があるが、当時彼の著書を読み流していただけで、彼がこれほどすごい課題に取り組んでいるとは理解できていなかった。不明を恥じるばかりである。その著書には驚くほど広範囲な文学作品からの用例が出てくる（フランス語教員をしていた彼がじつはフランス哲学の専門家だったことはわたしも知っていたが、文学作品や小説をこれほど愛読していたとは！）けれども、落語からの用例も多く、佐藤の文章自体がユーモアにあふれている。彼の著書を読み返すたびに、落語好きを公言する佐藤が、語学研究室と称する大部屋のソファに腰掛けてパイプをくゆらしながら、まわりの教師仲間を観察してニヤニヤしている顔を思い出すことになる。

佐藤の著書はニヤニヤしながら愉しんで読んでいるうちはいいけれども、たとえば『レトリックの意味論』あたりになると歯ごたえがありすぎて、愉しめるどころでなくなってくる。佐藤自身が書いているように、彼が取り組んだ課題は、哲学の本領とみなされてきた存在論や認識論を回避し、それらの基礎をなす言語の問題を考察することに専念して言語論の地平を切り拓こうとするものであったと、わたしにもようやくわかってきた。この企ては、拙訳書コーネル・ウェスト『哲学を回避するアメリカ知識人』で特徴づけられたプラグマティズムの志向に重なるではないか。これはアングロ・サクソン系の経験論思想の流れを汲み、形而上学を忌避する試みであろう。同時に、実践の能動性を重視することに執着して、合理論の客観主義や実証主義への傾きに抵抗しようとする姿勢も窺える。そしてそこには、二〇世紀の言語論の前提とみなされることの多かったソシュール言語学から距離をおこうとする姿勢が立ちあらわれる。

この点をもっとはっきり指摘しているのは、先に引いたアン・バートホフである。彼女は「リチャーズが無視されてきた最大の理由」として、「彼がC・S・パースの顰みに倣い、記号は三項的（triadic）（すなわち三価的〔three-valued〕）であって、ソシュール言語学で考えられているような二項的（dyadic）なものではないという見方を抱いていた」ことを挙げる。記号に対する二項的な見方と三項的な見方との違いの意義は、『レトリックの哲学』を読むだけでは含意や前提にとどまっていて、必ずしも明確にならないかもしれないが、三項的な記号の捉え方では、記号と指示対象に加えて両者の関係を解釈する存在が記号の構成要素とみなされる。たとえば「世界は投影された世界であって、わたしたち自身の生活から貸し与えられた特徴が奥深くまで浸透しています」（第5講）というリチャーズの言い方などに、この見方が含意されているのであろう。バートホフは、現代の主流言語学が二項的な記号論のために「実証主義的言語学」に堕している現状では、「リチャーズが公平に意見を聞いてもらえる可能性はほとんどなかった」[★4]と見るのである。

バートホフは大学で「作文」を担当する教師を長年勤め、この科目の改革に大きな役割を果たした「ファウンディング・マザー」とも呼ばれている人物で、リチャーズの弟子のひとりとも言えよう。共和制、民主制を建前にしている米国では、雄弁がことのほか重視され、高校や大学で雄弁術（elocution）や修辞学が基礎科目としてヨーロッパよりも長く余命を保ってきた。現代でも米国の大学では専門以前の基礎必修科目として「作文」が教授されている。だがこれは、「comp/rhet（作文・修辞学）」と略称されて、ともすれば軽んじられる。この科目を担当する教師は、個別指導が欠かせないために大量に必要とされて、力持ちかどうかあやしいけれども縁の下の存在であることに間違いなく、多くは「補助的（adjunct）」教員と呼ばれる非常勤講師や任期付き助教である。日本の大学でいわゆる教養語学が陥っている状況と似ている。ところが、軽侮にさらされ惰性に引きずられながら多くの時間を基礎必修科目に費やしている学生も教員も、じつはこのような科目においてこそ、個別指導や集団内相互学習を含めた人間交流を通じて、良かれ悪しかれ、若い時期に必要な人間形成、思考力涵養に従事している。それが経験主義を出ない技術論に毒されている現状に危機感を抱き、バートホフはcomp/rhetを理論化、思想化するための論陣を張るにいたり、リチャーズに理論的支柱を見出したのであった。

リチャーズも、とくにその経歴の後半では教育改革に熱心に取り組んだ。日本でも、彼がオグデンとともにベーシック・イングリッシュの創案・普及に尽力したことはよく知られている。[★5]他方、文学の批評研究の分野では、彼の名はニュー・クリティシズムと結びつけられている。しかし、岩崎宗治が次のように論じているとおり、リチャーズとニュー・クリティシズムとの関係は少なくとも一種の誤解に発しており、下手をすると事柄のひどい歪曲を招きかねない。

［新批評家たちは］エンプソンの「曖昧」という広い概念を「パラドックスの言語」に圧縮し、エンプソンではひとつのものであった詩の言語と日常言語を別々のものに切りはなしてしまった。彼らはまた、文学研究から歴史的コンテクストと〈作者〉を排除し、〈詩〉を現実から隔離し、社会に対してはたらきかけの力をもたぬものにしてしまった。その同時代性ゆえに、エンプソンを、さらにはF・R・リーヴィスまでをも新批評家とみなすことがあるけれども、これらケンブリッジの批評家たちは、一九三〇年代のマルクス主義の高まりに背を向けて非社会的、非歴史的な文学観を説いたアメリカの新批評家たちとはまったく別の種族であった。エンプソンの『曖昧』は、むしろ、テリー・イーグルトンも言うように、「新批評の原則に対する仮借なき反論として」読んだほうがいい。[★6]

岩崎はここでリチャーズの弟子ウィリアム・エンプソンについて述べているけれども、リチャーズは「ケンブリッジの批評家たち」の一員であり、エンプソンをリチャーズに、『曖昧』を『レトリックの哲学』に入れ替えても、この評言はほぼ変わらぬ妥当性を保てるであろう。

リチャーズは一九一一年ケンブリッジ大学新入生として、本書で「最良の教師」(第5講)と呼ばれているG・E・ムーアや、バートランド・ラッセルによって主導されていた「ケンブリッジ大学モラル・サイエンシズ・クラブ」に、同年入学してきたルートヴィヒ・ウィトゲンシュタインとともに入会した。それは、彼が「レトリックの蘇生」をはたし、文学研究における言語論的転回に寄与することになる将来を予示する徴候だったと言ってもよい。

★1 佐々木健一「編者解説 レトリックの蘇生」、佐々木健一編『創造のレトリック』(勁草書房、一九八六年)、二六二頁。

★2 Ann E. Berthoff, "Introduction." Berthoff (ed). *Richards on Rhetoric: I. A. Richards: Selected Essays (1929-1974)*. Oxford UP, 1991. p. x.

★3 佐藤信夫『レトリック感覚』(一九七八年)(講談社学術文庫、一九九四年)、『レトリック認識』(一九八一年)(講談社学術文庫、一九九二年)、『レトリックの意味論』(一九八六年)(講談社学術文庫、一九九六年)など。

★4 Berthoff, op. cit., p. x. なお、沢田允茂『言語と人間』(講談社学術文庫、一九八九年)を参照のこと。この本は、リチャーズを視野に入れていないにもかかわらず、生物学や人類学、大脳生理学などの科学的新知見に照らしながら、事実上リチャーズの所論を展開してくれたのも同然である。

★5　片桐ゆずる編『リチャーズ・ナウ——I・A・リチャーズ生誕一〇〇年記念論文集』（青磁書房、一九九三年）を参照のこと。
★6　岩崎宗治「はじめに——エンプソンへの誘い」、ウィリアム・エンプソン、岩崎宗治訳『曖昧の七つの型』（岩波文庫、二〇〇六年）、上一六〜一七頁。

訳者あとがき

畏れともつかぬ思いにまつわられつつも、I・A・リチャーズ『レトリックの哲学』の新訳を世に送る。

この著作には既訳がある。石橋幸太郎訳『新修辞学原論』である。この訳書の「あとがき」[★1]によれば石橋は、原著が刊行されて間もなく訳出に取りかかり、一九三九年には訳稿の完成にこぎ着けたという。ところが戦争のために「時勢は次第に急迫」し、「原稿は書斎の片隅に、ほこりをかぶったまま放置されていた」のだそうである。それが一九六一年に陽の目を見て刊行にいたったことは訳者にとって救いであっただろうが、原著刊行後すぐにこの重要な書物の訳出を思い立った炯眼には敬服のほかない。

今回新訳を手がけるに当たっては、既訳に理解を助けられた箇所も少なくなく、大いに恩義を蒙ったことに感謝しなければならない。既訳のなかのいくつかの遺漏脱落を補塡し、訳文の意味の通りにくいところを改め、冗長だったり欠落したりしていると思われる注釈を整備しえたとすれば、五〇年も前に出た訳書よりも少しはましになるだろうと、自らを励ましながら翻訳作業を進めてきた。

批評理論に関わるわたしのささやかな仕事[★2]を振り返ると、いまこうしてリチャーズの『レトリックの哲学』訳出に携わることになるとは、かつて思ってもみなかった成り行きである。リチャーズを読めば、彼がベーコン、ホッブズ以降のイギリス経験論にしっかり棹さしているとつくづく感じる。わたしは、「知は力なり」というベーコンの言葉は若いうちにしっかり頭に刻み込まれたとはいえ、理論性や体系性に乏しいと感じられたイギリス思想に対して苦手意識をもってきた。にもかかわらず、英国人によるポスト・ソシュール派文学理論批判書や、ニュー・クリティシズム以後の批評理論を批判するプラグマティストによる著作の訳出に乗り出し、バフチン言語理論や言語行為論の咀嚼に励み、ついにはプラグマティズムの系譜をたどってみるにいたったのは、苦手な領域とわかっているくせにイギリス流の言語論の地平にとどまる天邪鬼な選択をし続けてきたからか。自らの行為に意外の念を禁じえず、面食らってしまうのは、天邪鬼にとりつかれた者のつね。しかし、こうして『レトリックの哲学』翻訳に手を出したからには、天邪鬼のせいと言ってすましてばかりもいられまい。わたしの言語論模索は、イギリス思想の潮流にとっぷり浸かった本書の翻訳にとどめを刺すことになるかもしれない。

この翻訳出版の機会を与えてくれた未來社社長西谷能英さんには、いつもながら大変お世話になった。心よりお礼申し上げたい。

★1　I・A・リチャーズ著、石橋幸太郎訳『新修辞学原論』（不死鳥英語学ライブラリィ）（南雲堂、一九六一年）、一二九頁。
★2　レイモンド・タリス『アンチ・ソシュール――ポスト・ソシュール派文学理論批判』（未來社、一九九〇年）、フランク・レントリッキア『ニュー・クリティシズム以後の批評理論』（福士久夫との共訳）上・下（未來社、一九九三年）、「ふまじめをまじめに考えたら――批評理論としての言語行為論のゆくえ」、中央大学人文科学研究所編『批評理論とアメリカ文学――検証と読解』（中央大学出版部、一九九五年）、「いつまでものさばることのないように――『シスター・キャリー』英文解釈入門」、大浦暁生監修・中央大学ドライサー研究会編『「シスター・キャリー」の現在――新たな世紀への読み』（中央大学出版部、一九九九年）、コーネル・ウェスト『哲学を回避するアメリカ知識人――プラグマティズムの系譜』（堀智弘・権田建二との共訳）（未來社、二〇一四年）など。

二〇二一年六月

村山淳彦

索　引

ア行

カ行

サ行

タ行

ナ行

ハ行

マ行

ヤ行

ラ行

ワ行

〔著訳者紹介〕

アイヴァー・A・リチャーズ（1893-1979）

イギリスの文芸批評家・英語教育学者・修辞学者、ケンブリッジ大学特別研究員、ハーヴァード大学教授。

C・K・オグデンとともに「意味論」の科学的研究者で『意味の意味』は古典的名著。またニュー・クリティシズムの提唱者のひとりとしても知られる。『文芸批評の原理』『実践批評』などがある。

本書『レトリックの哲学』は一九三六年の著作で講義録。二十世紀の言語論的転回のなかで修辞学、とりわけ隠喩の再定義で今日の修辞学復興の出発点を形成し、大きな影響を残した名著。

村山淳彦（むらやま・きよひこ）

1944年、北海道生まれ。

東京大学大学院人文科学研究科博士課程満期退学。

東京都立大学名誉教授。

主な著訳書＝『セオドア・ドライサー論――アメリカと悲劇』（南雲堂、日米友好基金アメリカ研究図書賞）、『いま「ハック・フィン」をどう読むか』（共編著、京都修学社）、『文学・労働・アメリカ』（共編著、南雲堂フェニックス、科研費出版助成）、コンロイ『文無しラリー』（三友社）、『エドガー・アラン・ポーの復讐』（未來社）、レイモンド・タリス『アンチ・ソシュール――ポスト・ソシュール派文学理論批判』（未來社）、フランク・レントリッキア『ニュー・クリティシズム以後の批評理論』（共訳、未來社）、カレン・カプラン『移動の時代――旅からディアスポラへ』（未來社）、コーネル・ウェスト『哲学を回避するアメリカ知識人――プラグマティズムの系譜』（共訳、未來社）、キース・ニューリン編『セオドア・ドライサー事典』（雄松堂）、ドライサー『シスター・キャリー』（岩波文庫）、クーパー『開拓者たち』（岩波文庫）

[転換期を読む 29]
レトリックの哲学

2021 年 10 月 31 日　初版第一刷発行

本体 2200 円＋税――――定価

アイヴァー・A・リチャーズ――著者

村山淳彦――――訳者

西谷能英――――発行者

株式会社　未來社――――発行所

東京都世田谷区船橋 1－18－9
振替 00170-3-87385
電話(03)6432-6281
http://www.miraisha.co.jp/
Email:info@miraisha.co.jp

萩原印刷――――印刷・製本

ISBN 978-4-624-93449-1 C0310

未紹介の名著や読み直される古典を、ハンディな判で

［消費税別］

シリーズ❖転換期を読む

1 望みのときに
モーリス・ブランショ著◉谷口博史訳◉一八〇〇円

2 ストイックなコメディアンたち――フローベール、ジョイス、ベケット
ヒュー・ケナー著◉富山英俊訳／高山宏解説◉一九〇〇円

3 ルネサンス哲学――付：イタリア紀行
ミルチア・エリアーデ著◉石井忠厚訳◉一八〇〇円

4 国民国家と経済政策
マックス・ウェーバー著◉田中真晴訳・解説◉一五〇〇円

5 国民革命幻想
上村忠男編訳◉一五〇〇円

6 ［新版］魯迅
竹内好著◉鵜飼哲解説◉二〇〇〇円

7 幻視のなかの政治
埴谷雄高著◉高橋順一解説◉二四〇〇円

8 当世流行劇場――18世紀ヴェネツィア、絢爛たるバロック・オペラ制作のてんやわんやの舞台裏
ベネデット・マルチェッロ著◉小田切慎平・小野里香織訳◉一八〇〇円

9 〔新版〕澱河歌の周辺
安東次男著◉粟津則雄解説◉二八〇〇円

10 信仰と科学
アレクサンドル・ボグダーノフ著◉佐藤正則訳・解説◉二二〇〇円

11 ヴィーコの哲学
ベネデット・クローチェ著◉上村忠男編訳・解説◉二〇〇〇円

12 ホッブズの弁明／異端
トマス・ホッブズ著◉水田洋編訳・解説◉一八〇〇円

13 イギリス革命講義――クロムウェルの共和国
トマス・ヒル・グリーン著◉田中浩・佐野正子訳◉二二〇〇円

14 南欧怪談三題
ランペドゥーザ、A・フランス、メリメ著◉西本晃二編訳・解説◉一八〇〇円

15 音楽の詩学
イーゴリ・ストラヴィンスキー著◉笠羽映子訳・解説◉一八〇〇円

16 私の人生の年代記　ストラヴィンスキー自伝
イーゴリ・ストラヴィンスキー著◉笠羽映子訳・解説◉二二〇〇円

17 教育の人間学的考察【増補改訂版】
マルティヌス・J・ランゲフェルト著◉和田修二訳／皇紀夫解説◉二八〇〇円

18 ことばへの凝視——粟津則雄対談集
粟津則雄◉三浦雅士解説◉二四〇〇円

19 宿命
萩原朔太郎著◉粟津則雄解説◉二二〇〇円

20 イタリア版「マルクス主義の危機」論争——ラブリオーラ、クローチェ、ジェンティーレ、ソレル
上村忠男監修・解説◉イタリア思想史の会編訳◉三二〇〇円

21 海女の島 舳倉島［新版］
フォスコ・マライーニ著◉牧野文子訳◉岡田温司解説◉一八〇〇円

22 向井豊昭傑作集 飛ぶくしゃみ
向井豊昭著◉岡和田晃編・解説◉二二〇〇円

23 プロレタリアートの理論のために——マルクス主義批判論集
ジョルジュ・ソレル著◉上村忠男・竹下和亮・金山準訳◉二八〇〇円

24 精神の自己主張——ティリヒ＝クローナー往復書簡 1942-1964
フリードリヒ・ヴィルヘルム・グラーフ、アルフ・クリストファーセン編◉茂牧人・深井智朗・宮崎直美訳◉二二〇〇円

25　ドイツ的大学論
フリードリヒ・シュライアマハー著◉深井智朗訳◉二二〇〇円

26　エマソン詩選
ラルフ・ウォルドー・エマソン著◉小田敦子・武田雅子・野田明・藤田佳子訳◉二四〇〇円

27　［新訳］桜の園
アントン・チェーホフ著◉安達紀子訳・解説◉一八〇〇円

28　蒲原有明詩抄
蒲原有明著◉郷原宏解説◉二五〇〇円

本書の関連書

［消費税別］

＊フィギュール
ジェラール・ジュネット著◉平岡篤頼・松崎芳隆訳◉三八〇〇円

＊ニュー・クリティシズム以後の批評理論（上・下）
フランク・レントリッキア著◉村山淳彦・福士久夫訳◉上／四八〇〇円、下／三八〇〇円

＊移動の時代——旅からディアスポラへ
カレン・カプラン著◉村山淳彦訳◉三五〇〇円

＊哲学を回避するアメリカ知識人——プラグマティズムの系譜
コーネル・ウェスト著◉村山淳彦・堀智弘・権田建二訳◉五八〇〇円